LA BRÛLANTE LUMIÈRE
DE L'AMOUR

Paule Salomon

LA BRÛLANTE
LUMIÈRE
DE L'AMOUR

Albin Michel

© Éditions Albin Michel, S.A. 1997
22, rue Huyghens, 75014 Paris

ISBN : 2-226-09279-X

La queste d'amour

Une chance et un bonheur, un livre sur l'amour, un livre pour mettre au monde ce qui est connu et ce qui ne l'est pas. Un livre qui permet d'entrer dans le duvet de l'âme, tellement chaud et vibrant. S'abandonner à lui avec ferveur, le retrouver avec bonheur le plus souvent possible comme on retrouve son amant parce qu'il vous rapproche de vous-même. Qui n'a pas rêvé de ce temps de méditation où il serait possible de s'absorber entièrement dans ses sensations et de ne délivrer aucun mot qui ne soit message, témoignage d'une qualité d'amour.

Tous ensemble dans cette humanité, nous sommes en train d'inventer l'amour, de continuer à l'inventer. Nous héritons de trésors précieux accumulés au cours des siècles et nous continuons l'œuvre du chercheur d'amour, la quête du Graal. Le vieux roi est malade et avec lui son royaume car il a perdu le sens de l'amour. Quel est le chevalier qui lui ramènera le chemin du centre, le chemin de la guérison, le chemin de l'amour. Dans cette traversée, bienheureux seront les blessés et les naufragés, car ils seront touchés par la grâce, atteints par la flèche amour. Il n'y a ni perdant, ni gagnant. Il y a seulement ceux qui ont osé.

Comment après tant d'écrits où l'amour s'enlise, où l'amour s'englue, écrire encore un livre sur l'amour ?

Entrer dans la profondeur, tenter de délivrer une propédeutique de l'art d'aimer, une pédagogie de la transformation. Toucher à la brûlure de la passion et à la lumière de la complétude, et entre les deux se servir de son intelligence, de sa raison. Canaliser les forces puissantes et torrentielles du désir vers le lac de la sérénité.

C'est de la ferveur et de la complexité que naîtra le point focal d'une évidente simplicité. Ne pas écrire tranquillement sur la brûlure, brûler. Ne pas écrire tranquillement sur le chemin de la lumière, porter la flamme. En réveillant le souvenir de ce qui est déjà su dans le noyau le plus infracassable de l'être, ranimer peut-être par les mots ce que toi aussi tu sais sans le savoir :

L'amour est une brûlure et quand cette brûlure est acceptée elle peut se transformer en lumière.

Apprendre à aimer est sans doute la tâche la plus importante de toute une vie. Cette éclosion progressive se situe au cœur du sens de l'existence.

Entre être aimé et aimer, entre l'amour de soi et l'amour des autres, comment se situer, comment s'ouvrir à la vulnérabilité, à l'authenticité, comment s'offrir à la blessure sacrée d'Éros sans que les ailes de l'âme soient atteintes par le feu de la passion brûlante, par l'érosion de l'absence.

Tant que nous n'apprenons pas la voie du milieu et la richesse du paradoxe, tant que nous n'accordons pas notre attention consciente au « Qui suis-je », tant que nous ne découvrons pas notre double nature bisexuée, nous n'enracinons pas notre confiance aux fleurs de l'Amour et à la découverte de l'Enfant-Soleil.

L'amour n'est sublime qu'à condition de se souvenir du divin. Comment le vivre dans l'alignement sexe-cœur-tête. Qu'est-ce qu'une sexualité reliée ? Qu'est-ce que le contact avec le bien-aimé de l'âme ?

Les conditions collectives et individuelles qui nous enlisent tous dans une guerre d'amour alors que nous avons un projet d'amour ont été longuement explorées avec *La Femme solaire* et *La Sainte Folie du couple*. Hommes et femmes se cherchent et s'affrontent passionnément, dramatisent leurs différences ou les gomment allégrement. D'un excès à un autre, d'un pôle à l'autre, alors qu'encore et toujours il s'agit de trouver la voie du milieu.

Jeu cruel, jeu pervers, jeu destructeur, l'homme et la femme s'observent, se jaugent, rivalisent, se cherchent, s'attaquent, se détruisent, se trouvent, se séparent, se font mal. Fascinés, inlassables, ils se rapprochent et ils s'éloignent, tour à tour creusant ou réduisant leurs différences. Troublés, apprivoisés, exaltés, aimantés, ils se cherchent du regard, ils fusionnent dans l'unité du corps à corps, âme à âme. Blessés, ils se tournent le dos. Guerriers de l'amour puis guerriers de leur propre ombre, ils peuvent aussi se sourire en confiance sur un chemin de conscience. Masculin-Féminin, Féminin-Masculin, plus que le jeu du complémentaire, c'est le jeu du double inversé qui attend l'être en plénitude.

L'amour n'est pas pourtant à confondre avec le théâtre des relations. L'amour relève de la vie intérieure et de l'être. Il surgit comme un miracle au-delà des mots et des événements. Il est le sujet d'un grand malentendu. Nous vivons ensemble, nous nous engageons ensemble pour l'amour, à cause de l'amour mais nous inversons les rôles. Nous lui demandons d'illuminer le quotidien au lieu de mettre le quotidien à son service. Nous puisons de manière dispendieuse dans un trésor qui nous arrive gratuitement, spontanément au début d'une rencontre, nous le dilapidons au lieu de le faire fructifier et nous nous étonnons de nous retrouver les mains vides et le cœur broyé.

Nous avons besoin de connaître les règles du jeu relationnel : les trois pièges du fusionnel, du dominant/dominé et du conflit ne manquent pas de se présenter dans toute relation et entament sérieusement les réserves du trésor d'amour. De tour de spirale en tour de spirale nous rejouons les sept étapes du fusionnel, du dominant/dominé, du conflit, de l'intelligence éclairée, du dominant/dominé inversé, de l'androgyne, de l'éveil. Ces sept étapes sont comme les actes successifs d'une pièce de théâtre qui s'enchaînent inéluctablement. Sept stades de la vie de couple. Sept centres d'énergie dans le corps. Et parfois le couple explose au troisième stade, tout comme beaucoup d'humains restent bloqués dans le plexus solaire, dans l'affirmation d'eux-mêmes et les conflits de puissance. La clef du quatrième stade réside dans la compréhension du jeu de l'ombre, lorsque je cesse de combattre chez toi ce que je n'aime pas chez moi, lorsque la femme commence à intégrer sa dimension masculine et l'homme sa dimension féminine. La traditionnelle névrose d'un couple composé d'une femme qui aime trop et d'un homme qui a peur de s'engager, « fuis-moi je te suis, suis-moi je te fuis » commence à se dénouer. Les deux partenaires expérimentent à tour de rôle les deux situations et découvrent peu à peu un autre plaisir, celui de la confiance mutuelle. Si les réserves de départ étaient suffisantes

10

pour traverser l'aridité des étapes de pouvoir et de conflit, l'amour fusionnel de la rencontre trouve un nouveau terrain d'éclosion au sixième stade du couple

En chacun d'entre nous, la capacité d'amour est affrontée à la terrible épreuve d'une vie à deux. Nous nous engageons dans ce périple avec un certain déséquilibre. Notre base affective repose sur quatre piliers : l'amour que nous recevons des autres, l'amour que nous donnons aux autres, l'amour que nous nous donnons à nous-mêmes, l'amour que nous recevons de l'univers dans l'ouverture. Les circonstances de l'éducation familiale nous conduisent tous à un handicap de l'un ou l'autre de ces piliers. Notre base d'amour n'est pas saine et il nous faut d'abord la faire expertiser et la consolider. Qui suis-je ? Est-ce que je suis une victime du manque d'amour, est-ce que je ne parviens pas à donner, est-ce que je manque d'estime de moi-même, est-ce que ma joie de vivre est raréfiée ? L'éclosion de l'amour demande un rééquilibrage de ces quatre aspects pour que le moi puisse s'affirmer. À partir de là le règne de la conscience s'ouvre, la naissance énergétique succède à la naissance psychologique, le monde subtil révèle sa finesse.

Les quatre premiers chapitres sont ainsi une invitation à franchir les limitations de l'ego qui correspond aussi au troisième centre d'énergie. Mais le quatrième chapitre intitulé « Je suis amour » apporte déjà la dimension vaste et inconditionnelle de l'amour. Aussitôt après, l'incandescence du désir et de la passion nous ramène au plus personnel, au plus possessif, au plus enivrant, au plus souffrant et au plus conscient. Dans les cinquième, sixième et septième chapitres nous oserons exalter une culture du désir, aborder l'art d'aimer des corps et des âmes, et réaffronter les blessures au sein même de cette nouvelle vision énergétique. Comment passer d'un amour romantique à un amour conscient ? L'amour adorant est-il la réponse ? Une nouvelle spiritualité est-elle en train de naître en même temps qu'une nouvelle sensibilité ?

CHAPITRE I

Tu m'aimes donc j'existe
Je reçois

Qui m'aime ?

J'ai besoin d'amour. Je ne crois pas à l'amour des autres. Je suis en déficit d'amour. Personne ne m'aime.

Tel est le creux en chacun d'entre nous. Qui est complètement étranger à cette situation psychique ? L'amour des autres tient chaud et permet de se rassurer sur soi-même.

Bébés, nous sommes bien vite passés maîtres dans l'art d'attirer l'attention par nos cris, puis de la capter et un peu plus tard de la monopoliser avec tyrannie.

Tout m'est dû et je suis tout-puissant. En grandissant, j'apprends à composer avec d'autres puissances et je découvre que pour conserver l'amour il faut aussi que j'entre dans le désir des autres. « Je t'aime si tu fais ceci ou cela. » C'est pour ne pas perdre l'amour de l'autre et ses avantages que j'accepte d'entrer dans les conditionnements sociaux et les apprentissages qui me sont proposés, la propreté, la manière de manger, la manière de parler, de me comporter, de jouer, de danser. Je découvre de nouveaux plaisirs dont celui de plaire. Plus je suis gentil et agréable et plus on m'aime, plus on m'aime et plus je suis gentil et agréable. Inversement plus

15

je suis pleurnicheur et révolté, plus on me fait sentir l'agacement, la colère, et plus on me réprimande et plus je deviens révolté.

Très tôt le cercle tourne dans un sens ou dans un autre mais ce n'est jamais irréversible.

Le premier message qui s'enregistre est plus ou moins celui-ci :

J'ai besoin des autres pour survivre. Chaque fois que les autres menacent de me délaisser, je me sens en danger. Et comme ils me menacent chaque fois que je ne suis pas conforme à leur attente, à chaque manquement je suis en danger. Entre ce que je désire et ce qu'on attend de moi, il y a parfois conflit.

L'enfant obéissant refoule, ravale bien des désirs. L'enfant révolté se sent seul et menacé. Les adultes ont le pouvoir. Les enfants qui survivent le mieux apprennent à ruser avec ce pouvoir.

Ceux qui m'aiment sont aussi ceux qui me trahissent sans cesse par d'infimes détails qui deviennent parfois des blessures profondes. Ils partent et ils reviennent, ils se fâchent, ils m'abandonnent dans des lieux inconnus à des personnes inconnues.

Si je ne suis pas sage l'ogre viendra, ma mère mourra, papa partira, on me laissera tout seul dans le noir, on me jettera dans l'eau, le méchant loup viendra, etc.

Tout-puissant, tout-impuissant, l'enfant est aussi tout coupable. « À cause de toi... à cause de moi... », les relations de cause à effet s'amplifient dans la tête des enfants au point qu'ils se rendront responsables de la mort d'un petit frère ou du départ d'un parent. L'amour est vécu comme relation primordiale de survie et comme incertitude constante. Aucune stabilité familiale de forme ne peut donner à l'enfant ce terreau affectif dont on reconnaît universellement qu'il lui est indispensable. L'enfant est constamment menacé dans son apprentissage de l'amour par le jeu dominant des adultes. Eux-mêmes ont été des enfants mal aimés qui reproduisent le modèle. Rares sont ceux qui brisent le cercle vicieux par leur prise de conscience et leur chemin dans la guérison. Nous vivons dans la névrose du mauvais amour et nous la transmettons. La relation dominant dominé est le poison de la relation homme-femme mais il est aussi le poison de la relation parent-enfant.

Qui m'aime ? Quels sont les êtres dans lesquels j'ai pu déposer ma confiance ? Souvent il n'y en a qu'un, mais c'est fondamental qu'il y en ait un. Celui-là s'est prolongé à travers moi, il s'est identifié suffisamment à moi pour que tout ce qui me concerne lui tienne à cœur. Je fais un peu partie de lui. Il me permet de faire mes fondations. Je prends racine dans le terrain qu'il représente. Je puise ma sève en lui. Il me regarde, il m'écoute, je me regarde dans ses yeux.

Cette personne me trahit aussi. Elle en aime un autre ou plusieurs autres, elle est absente quand j'ai besoin d'elle, elle me laisse seul dans le noir, elle m'abandonne dans le monde inconnu de l'école, mais quoi qu'il en soit de ces failles, je peux quand même compter sur elle. C'est avec elle que j'apprends la fidélité essentielle de l'amour.

Il n'y a pas d'amour sans blessure parce que l'autre n'est pas moi et que la promesse du fusionnel ne peut pas être tenue.

L'autre est définitivement autre et au cours de mon évolution je vais devoir intégrer toujours plus profondément cette différence et ma solitude. La blessure s'agrandit encore parce que la différence signe opposition.

Pour être moi, je dois me battre, me défendre contre les tentatives d'appropriation et d'englobement d'une personne toute-puissante qui me veut du bien. « Fais ceci et fais cela, ne fais pas ceci et ne fais pas cela. Tu n'es pas capable ; tu n'es qu'un bon à rien. Jamais personne ne t'aimera. » Les accusations pleuvent et les paroles qui tuent se font définitives. Pour combien de temps suis-je englué dans le mélange de l'amour, du pouvoir, du besoin et du chantage ?

Combien d'adultes reproduisent cet amour parental dans leur couple et se proposent l'un à l'autre une relation dans laquelle ils sont le parent et l'enfant de l'autre ? « Tu me protèges et je te corrige, tu me corriges et je te protège. Amour conditionnel. Je t'aime si tu deviens comme j'ai besoin que tu sois. »

Lorsque l'adulte, au cours d'une relaxation par exemple, cherche à ressentir un moment d'amour de son enfance, il est parfois étonné de ne pas en trouver. Il sait avec sa tête que ses parents l'ont aimé, choyé, gâté peut-être, mais la sensation de l'amour n'est pas là. C'est parfois auprès d'une nounou ou d'un vieil employé de la maison qu'une impression de douceur inconditionnelle surgit. Comme si l'amour des parents, même très tendres, restait toujours un peu dangereux parce que trop conditionnel, trop passionnel.

Qui m'aime aujourd'hui ? Parents, amis, enfants, une dizaine de personnes sont solidaires de ce qui m'arrive. Je fais partie de leur paysage affectif, ils s'intéressent à moi, ils s'inquiètent de moi, ils me reconnaissent, ils m'admirent, ils me considèrent comme un des leurs et parfois je compte pour eux. Peut-on dire qu'ils m'aiment ? Qu'est-ce que l'amour ? Est-ce qu'ils m'aiment pour ce que je fais, notamment pour eux, ou est-ce qu'ils m'aiment pour ce que je suis ?

Certains êtres ressentent ainsi un vide affectif et réclament à cor et à cri un biberon d'amour. La relation parentale, puis fraternelle, puis filiale, puis amicale tiennent des places importantes dans la

18

constellation affective mais il semble que tout être mette dans sa vie une place centrale pour un compagnon ou une compagne. Les liens du sang et de la famille laissent une place ouverte à la rencontre élective. *Quelqu'un me choisit pour ce que je suis.* Nous sommes dans un autre niveau de liberté, d'amour, d'âme et de reconnaissance. *Quelqu'un me désire.* C'est une tout autre intimité qui est en jeu.

Suis-je aimé pour ce moi-même à moi-même inconnu ?

Maman m'aime

On a tout dit sur maman. Dans cette découverte du « Qui suis-je ? », elle occupe une place centrale. C'est une illusion de vouloir l'évacuer de son rêve d'amour. Elle est là et chacun compose avec la capacité d'amour qu'elle a transmise en héritage. Elle reste en arrière-fond de toutes nos relations importantes.

J'ai envahi son corps et fusionné avec elle pendant neuf mois et si je suis né c'est que le message d'amour de la vie a triomphé du message de mort. D'une certaine manière maman a aimé et protégé la vie que j'étais. Même si elle m'abandonne à la naissance, ce temps d'alliance physique et psychique a existé. Je ne peux pas grandir sans qu'une personne me donne les soins nécessaires, sans qu'un substitut maternel soit trouvé. Il faut tant de gestes et tant de soins, d'attention, pour qu'un bébé sorte de la dépendance, que l'amour ne peut pas être totalement absent d'une vie.

On entend souvent : « J'ai manqué d'amour pendant mon enfance. » La sensation de manque existe mais elle n'est qu'une face de la médaille. Sur l'autre face, cette personne a quand même reçu de l'attention et une forme d'amour, sinon elle ne serait pas là.

Toute la vie, cet amour maternel, celui qui donne la vie, accompagne un être. On dit souvent qu'il n'y a pas de bonne mère, que toute mère est accusée soit d'avoir trop aimé, soit de n'avoir pas assez aimé. Il appartient à chacun de dépasser l'illusion de ce jugement qui fait de lui une victime de sa mère. En réalité, chacun s'est construit une mère à sa mesure et deux enfants de la même famille ont souvent des opinions très différentes sur leur mère.

De ma mère je ne connaîtrais jamais qu'une idée qui est la mienne et si cette idée me fait souffrir je peux la modifier. Il n'est pas bon pour moi que je continue de nourrir la pensée que maman ne m'a pas aimé, qu'elle m'a mal aimé, qu'elle m'a rendu prisonnier de ce qu'elle était, etc. Je me propose alors de changer de perspective sur ma mère et de regarder non le verre à moitié vide mais le verre à moitié plein. Quel qu'ait été son comportement au cours de mon enfance, le premier message que j'ai reçu d'elle est un message d'acceptation et d'amour puisque je suis né de son corps. Je peux remonter jusqu'à ce message et voir aussi comment ses gestes ont continué d'assurer ma survie, même si elle a eu des duretés, des absences, des négligences.

Et cette jeune femme persuadée que sa mère ne l'a pas aimée, se retrouve pourtant dans une expérience de respiration soutenue en train de dire avec béatitude : « Je suis dans le ventre de ma mère. » Elle décrit un état de bonheur océanique et elle prend conscience que l'amour a circulé entre elles, l'amour plus fort que toutes les constructions psychologiques. Dans le mot maman, il y a déjà de l'amour vivant.

Dépendance et identification

Est-ce que tu m'aimes ? Puits sans fond, aucune réponse ne pourra jamais remplir cette question. Je ne crois pas dans la possibilité que quelqu'un m'aime. En même temps, je suis accroché à mon besoin de manifestations d'amour qui calment temporairement mon vide et mon angoisse. Je suis identifiée à la valeur qui me vient de toi. Tu sais mieux que moi ce que je suis et ton amour me donne de l'importance, de la consistance et de la réalité.

Beaucoup de femmes se trouvent dans cette situation et notamment des femmes dont le père était absent ou inaccessible parce que toujours occupé. Elles n'ont pas pu avoir une confirmation de leur valeur féminine, elles n'ont pas pu développer un lien du cœur avec un homme et elles entretiennent en elles une croyance négative inconsciente : je n'ai pas assez de valeur pour qu'un homme m'aime. Elles ont aussi parfois développé un homme intérieur qui juge sévèrement la femme qu'elles sont : pas assez belle, pas assez intelligente et compétente.

Il ne faut pas oublier la forme du sexe féminin. Beaucoup de jeunes filles avouent qu'elles ont ressenti une plénitude dans la rencontre sexuelle comme si la présence du sexe masculin en elles donnait un sens à leur corps et à leur vie. C'est un stade de préconscience de l'importance de l'union, de la réunification des deux principes masculin et féminin.

Cette sensation de vide est peut-être d'autant plus forte que la capacité spirituelle commence à s'éveiller. La tentation est grande de rencontrer un homme qu'on puisse admirer, qui exerce un ascendant et qui se comporte un peu comme un pygmalion. En se glissant dans son ombre, la jeune fille se dispense de devenir à elle-même son propre soleil. Le fait que cet homme l'aime la flatte narcissiquement et la rassure sur elle-même.

Si tu m'aimes ma vie a un sens et je n'ai plus de questions à me poser.

Beaucoup de personnes ont une vie qui repose sur cette conception, ce qui les rend très vulnérables au comportement de l'autre, très dépendantes. Quand on sait que l'amour se nourrit de liberté, il n'est pas très difficile d'augurer ce qui se passe au bout d'un temps plus ou moins long dans une relation basée sur la dépendance.

La personne qui se nourrit de l'amour de l'autre a une mauvaise opinion d'elle-même et on a vu qu'elle pensait qu'il était impossible qu'on l'aime. Elle fait tout pour se prouver qu'elle a raison. Car notre personnalité égotique est construite sur le fait de ne pas avoir tort. Même si le processus se retourne contre elle, les comportements destructeurs s'accumulent. À moins qu'il ne soit lui-même très conscient, l'autre se laisse entraîner dans ce jeu et finit par voir ce qui lui est proposé, c'est-à-dire un être dépendant qui n'est plus désirable. S'il se tourne alors vers une autre relation, le processus d'abandon enclenche un renforcement de la blessure et le besoin d'amour s'accroît. À la prochaine rencontre, le même scénario risque de se rejouer à plus ou moins long terme, la personne nourrissant une croyance négative encore plus ancrée dans l'inconscient.

Donner son énergie à quelqu'un d'autre, ne rencontrer que des mangeurs d'énergie passés maîtres dans leur manière d'absorber l'autre : tel est bien le destin de celui ou de celle qui veut se faire aimer, se sentir apprécié, faire plaisir et qui finit par être utilisé à force de s'offrir à cette exploitation. La dépendance à l'amour de l'autre agit comme une drogue. Même si elle détruit on ne sait pas s'en extirper. La démission de soi, de sa liberté est une immense tentation.

J'ai besoin d'amour

Dans un séminaire la proposition de travail est la suivante :

Voici quatre pôles de l'amour représentés par quatre cercles. Le premier sera celui qui évoque le besoin d'amour. Si vous ressentez un déficit, si votre problème réside dans le fait de ne pas recevoir assez d'amour dirigez-vous vers ce cercle. Le groupe qui se forme ainsi est généralement très important, le plus important de tous. Les autres pôles seront : je t'aime, je m'aime et je suis amour, sur lesquels des explications seront données aux chapitres suivants.

Le groupe qui a des déficits dans l'amour forme un cercle. Chacun s'exprime à tour de rôle sur ce qui se passe dans sa vie. Un scribe est désigné qui prend des notes et qui devra jouer le rôle du rapporteur pour les autres groupes. Ensuite, on cherche comment faire pour sortir de cette situation de manque affectif.

Personne n'est dispensé de ce pôle. L'amour que les autres nous témoignent nous donne une force considérable. Nous sommes touchés et émus de recevoir de la considération, de la reconnaissance, d'être honorés pour nos actions.

Être aimé et aimer en retour au niveau de l'âme, pour ce que je suis et pour ce que tu es, pour ce plaisir infini de nos musiques mêlées, demande un autre niveau d'éclosion à soi-même. Quand tu me manifestes ton amour, je suis comblé et rempli. J'aime que tu m'aimes. J'aime que tu me désires. Et parfois c'est ton désir qui éveille le mien, c'est ton amour qui éveille le mien, qui lui donne le droit de se révéler à lui-même.

Mais le besoin d'amour peut avoir quelque chose de névrotique, il correspond à l'attitude du nourrisson, il a un aspect infantile.

Je réclame et je ne suis jamais satisfait. Mon biberon d'amour est trop chaud, pas assez chaud ou trop souvent vide, ou ce qu'il contient ne me convient pas. Je le traduis par toutes sortes de récriminations ou de demandes indirectes. Je vis en permanence dans un monde d'insatisfaction. Je me plains et je me rebelle et je m'enfonce dans ce système.

J'ai besoin d'amour et j'ai besoin de toi.

Beaucoup de couples se rencontrent et s'allient sur ce mode du besoin. Ils sont dits complémentaires et ils s'emboîtent comme le creux et la bosse. Ils ont un programme d'échange. Chacun aime en l'autre une qualité qu'il aimerait bien acquérir. Cette complémentarité est féconde. Chacun devient un peu l'autre. Par d'autres aspects, les deux partenaires se ressemblent et se confortent dans leurs caractéristiques.

En somme, j'ai besoin de toi pour évoluer et j'ai besoin de toi pour me rassurer sur ce que je suis déjà.

La tension de la différence et le jeu de miroirs du même jouent ensemble dans la partition de la vie de couple. **L'ambiguïté du narcissisme et de la rivalité s'entrechoquent avec les élans d'amour.**

Le besoin est un inévitable point de départ de la rencontre même s'il est bien caché dans le fusionnel du sentiment amoureux. Ce besoin contient la promesse d'une évolution et le risque de la rupture. D'étape en étape le couple est appelé à évoluer, de la force instinctive du besoin, au plaisir plus délibéré de l'échange. Deux personnes qui partagent un sentiment amoureux sont tentées follement de rester fusionnelles le plus longtemps possible. Leur folie est aussi leur sainteté car elles prolongent le temps de la grâce.

« Viens, va vers toi. » À un moment ou un autre chacun se trouve repris par le désir d'affirmer son individualité au détriment de la symbiose.

Pour devenir qui je suis, pour rencontrer ma légende personnelle, j'ai à faire ce chemin que Jung décrit comme le processus d'individuation. C'est alors que je suis à nouveau happé par la peur, par le goût de dominer ou par le réflexe de soumission.

Au passage, je fais le deuil du fusionnel et si je n'y suis pas préparé je risque de nourrir souterrainement, à l'égard de mon conjoint, une sourde rancune. Nous sommes exilés du paradis des amoureux et c'est la faute de l'autre. Déjà peut-être se profile l'idée qu'avec un autre partenaire ce serait différent. J'ai besoin d'amour ne signifie-t-il pas : j'ai besoin d'amour fusionnel. Je ne supporte pas l'aridité de la différenciation.

Car, dans les étapes suivantes, chacun est en prise avec l'affirmation de soi. Les egos et les pouvoirs se livrent bataille et entrent dans le vieux jeu du conflit. Beaucoup de couples volent en éclats. La révolte et le besoin d'avoir raison occupent presque tout le champ de la conscience. Il reste seulement un peu de place pour la nostalgie de l'amour fusionnel. La plénitude des sixième et septième stades ne viendra que plus tard, au-delà du conflit, lorsque deux personnes seront, non plus dans le creux, mais dans le plein d'un amour de partage.

Au cours de son évolution une personne tend à passer de « j'ai besoin d'amour » à « j'ai de l'amour à rayonner ».

Handicapé du recevoir

TÉMOIGNAGE :

« Je m'aperçois que je ne sais pas recevoir. Ils me font des compliments, ils me regardent parfois avec de l'émotion ou de l'émerveillement, dit cette chanteuse, et je ne les entends pas. Les mots glissent, ils ne sont pas pour moi. J'en passe un peu à droite, un peu à gauche, aucun ne trouve le chemin de mon cœur. On dirait que je suis insensibilisée ; je guette la moindre intonation de voix qui me renseignerait sur une réticence. J'entends une voix intérieure qui déjà déroule ses litanies. "Tu t'es entendue. Tu pourrais faire mieux." »

« Je ne suis jamais satisfaite de moi, et je n'ai aucun plaisir avec les témoignages d'admiration du public. Je pense qu'ils n'ont pas encore vu la faille mais qu'ils ne vont pas tarder à la découvrir. »

En respirant sur ses émotions et en remontant dans son enfance, nous rencontrons une petite fille qui était la préférée de son père, cet homme tout-puissant vénéré par les siens. Et nous découvrons que cette petite fille était terrorisée à l'idée que son père pouvait savoir un jour qu'elle n'était pas à l'intérieur ce qu'elle paraissait à l'extérieur. Elle se vivait noire et coupable en elle, elle était la seule à savoir que sa beauté devant laquelle tout le monde s'extasiait n'était qu'un masque. Un jour ou l'autre, ce masque allait tomber et elle serait couverte de honte, elle perdrait alors cet amour unique dont elle était l'objet. Elle n'était qu'une usurpatrice. Elle se surveillait, elle soignait son apparence, elle était toujours impeccable. Le masque n'était jamais tombé mais la peur était toujours là. Le masque s'était renforcé et l'empêchait désormais de recevoir ce qu'elle désirait tant préserver : l'amour.

TÉMOIGNAGE :

« Blessé, je suis blessé par tant de réprimandes, de regards en biais, de torsions sur mes comportements. Mon père était si dur, jamais je ne faisais assez bien, jamais la barre n'était placée assez haut. Maintenant je n'ai plus besoin qu'il soit là. J'ai intériorisé sa voix et je rejoue le scénario avec brio. Je ne suis pas accessible aux bénéfices de ce que j'ai accompli, je suis toujours projeté en avant. Je me fouette pour faire toujours mieux et j'augmente mes défis. »

Ainsi parle le fils d'un père redouté. Il ne profite jamais du résultat de son travail, il ne sait pas se poser dans le bonheur du présent, il court en avant. Ce qui se passe sur le plan professionnel se répète dans sa vie affective, il n'écoute pas ce qui se dit à l'intérieur de lui, il goûte comme furtivement la présence de ses proches, il refuse de se laisser approcher par les sentiments, ceux des autres et les siens. Sa pudeur affective touche à l'infirmité. Cet homme ne fait que pousser à son paroxysme une attitude latente dans le modèle masculin patriarcal.

Comment devenir invulnérable, comment être ce super-héros qui affronte les dangers sans trembler et qui ne s'attache jamais ou si peu, sinon en étouffant sa sensibilité et en ne s'ouvrant jamais trop à l'amour qui vient de l'autre? « Pour devenir un guerrier, deviens un handicapé du recevoir. » Cette injonction latente était derrière le modèle de l'homme viril qui étouffait en lui ses caractéristiques féminines. Nous abordons un autre temps de l'évolution sociale et nos nouveaux hommes se caractérisent au contraire par une grande profondeur de sensibilité. Ils développent beaucoup leur réceptivité, ils communiquent avec la femme, mais ils ont parfois des difficultés avec leur côté émissif, avec l'action et le donner.

La femme masculinisée qui a pris modèle sur son père pour se construire peut elle aussi être une handicapée du recevoir. Durcie par l'exigence d'être aussi impeccable que possible dans son métier, d'être aussi bien qu'un homme, elle adopte parfois un profil de fermeture sentimentale. L'homme amoureux d'elle lui paraît aveugle.

On retrouve là aussi une mauvaise opinion de soi qui exerce une censure et un impérialisme face à toutes les preuves venues de l'extérieur qui témoignent que la personne est digne d'être aimée. Tout se passe comme si, pour maintenir la course de conquête sur le plan matériel, il ne fallait pas se donner le droit de s'attarder au bonheur d'exister.

La méfiance vis-à-vis des autres coupe aussi de sa capacité à recevoir. La vie est perçue à travers le filtre du soupçon, et la solitude se renforce. Une tendance paranoïaque bâtit les murs d'une forteresse et, au lieu d'accueillir les manifestations d'intérêt, de sympathie ou d'amour, la personne se placera dans une attitude de défense qui découragera les élans et qui renforcera sa conviction que les gens manquent de sincérité.

L'amour cannibale

Je suis la fleur qui s'ouvre, qui aspire et qui dévore tout ce qui passe à sa portée, j'engloutis inlassablement et je ne suis jamais comblée. Qui ne connaît l'histoire du puits sans fond, de l'affamé jamais rassasié, du dévorant ?

Dans sa peur du sexe féminin l'homme l'a nommé « le gouffre toujours et encore ». Quel est cet infini du désir qui habiterait le corps féminin, inépuisable réceptacle ? Le combat des sexes a l'une de ses racines dans cette dissymétrie de la relation sexuelle. La femme aurait une capacité de jouissance illimitée et l'homme serait épuisé après le premier orgasme. D'où la peur généralisée de l'infidélité féminine et les lois sévères qui punissent toute femme coupable d'adultère. L'enjeu de la descendance vient se greffer puisque, pour être un père, un homme a besoin d'être sûr d'être le géniteur des enfants que portent sa femme. Qu'en est-il réellement de cette capacité sexuelle féminine ? Dans bien des cas aujourd'hui il s'agit d'un mythe.

Les conditions de l'éducation, la censure morale latente toujours posée sur le sexe, font des **femmes désirantes** des exceptions échappées à la règle. Les femmes au sexe ouvert appartiennent à une vie d'oisiveté, de douceur confinée. Dès qu'une femme aborde les soucis du travail, les rigueurs de la survie, dès qu'elle devient mère avec tous les soins et la présence que cela implique, sa libido peut singulièrement baisser. Cette libido remonte parfois en même temps que l'esprit de conquête. La femme qui travaille, qui cesse d'être courbée sous le poids des fardeaux domestiques, émerge dans une position où le plaisir de faire, l'argent et le pouvoir réalimentent sa libido. De chassée elle devient même chasseresse. Mais souvent aussi la conjugaison maison, famille, travail se révèle accablante et laisse peu de place au désir.

Oui, le corps féminin peut être fleur carnivore dans l'adolescence et dans la maturité quand la femme ose affronter sa puissance tellurique. Sa bouche du ventre émet des sucs si abondants dans le plaisir que parfois les draps en sont inondés. C'est la femme si joliment nommée, **femme fontaine**. L'homme peut être très effrayé par cette abondance. Beaucoup de femmes ne connaissent pas du tout cet aspect d'elles-mêmes et beaucoup d'hommes tentent de nier l'existence de cette « émission ». Le corps féminin a sans doute appris à se censurer à ce niveau-là de peur de déplaire. D'autant plus que si un sexe féminin lubrifié peut être un cadeau, il perd aussi de son attrait parce que trop vaste, trop large pour le plaisir du sexe masculin.

« Je te veux en moi tout le temps. » Cet appel absolu de la femme a sa beauté. « Nous nous aimerons à temps plein. » Les adolescents s'abandonnent parfois quelques semaines, quelques mois, à cette consécration de l'un à l'autre entrecoupée de nourriture, de promenade, de sommeil. Juste un rythme qui permet de reconstituer les forces du désir. Mais comment se désirer sans cesse ? La vie sociale reprend ses droits. Alors certains amants passent la fin de semaine au lit. Pendant que d'autres cueillent des champignons et se font des joues roses au soleil, eux s'enferment rideaux tirés avec de la musique et des plateaux de nourriture. Ils réémergent avec de la pâleur et parfois de la lumière paisible en eux et autour d'eux.

Dans l'amour physique, il y a cette folie du féminin partagé aussi bien par l'homme que la femme : comment entrer dans l'absolu de la possession réciproque, comment rester charnellement uni ? Seule la mort peut-elle assouvir cette soif ? C'est ce que montre ce film japonais, *L'Empire des sens*, resté si célèbre et qui se termine dans la barbarie : la femme coupe le sexe de son amant.

L'homme qui perd les soleils de son sperme dans le ventre de la femme ressent comme une perte, de petite mort en petite mort. L'émergence de la conscience permet un des plus beaux cadeaux : l'homme apprend à retenir son désir. La manière dont les animaux s'accouplent est extrêmement rapide parce que la finalité est l'acte reproducteur. Mais les humains ont découvert une autre dimension tout aussi importante, celle de l'union intérieure et psychique entre deux êtres. **Plus un homme apprend à civiliser son désir et moins la dissymétrie des sexes existe.** La jouissance masculine devient aussi longue, aussi bruyante que la jouissance féminine. La femme, elle, ose alors découvrir son potentiel parce que l'homme lui fait l'amour longtemps sans perdre son énergie.

Je suis une victime

Je suis victime de mes parents. C'est mon destin.

La « victimisation » est une maladie extrêmement répandue. Toutes les personnes en difficulté dans leur vie se définissent comme victimes des traumatismes de leur enfance, de leur milieu familial, du milieu scolaire, de la malchance, d'un accident, d'une maladie, des manipulations d'un conjoint, des mauvais traitements d'un patron, du stress, de la grisaille, du chômage, etc. Mais la victimisation est avant tout un état d'esprit qui s'autoentretient, une manière de voir les êtres et les choses qui génère des symptômes facilement repérables.

« Je n'ai pas assez d'amour dans ma vie » : cette personne voit le verre à moitié vide. Elle vit dans la frustration, elle a l'impression que quelque chose lui manque et que les autres ne lui apportent pas ce dont elle a besoin pour être heureuse. Elle n'est pas en contact avec la phase positive de sa vie. Elle nourrit une insatisfaction profonde qu'elle projette sur tout son entourage. Cette insatisfaction devient un système de vie. Elle se traduit par des critiques perpétuelles. Ces personnes deviennent très habiles à rendre leur vie difficile. Les victimes passives ont tendance à se retourner contre elles-mêmes. Elles s'entourent de gens dominateurs auxquels elles se soumettent soit dans la profession soit dans la famille. Elles s'enfoncent dans une situation sans rien changer, jusqu'à ce que la maladie ou la dépression les rattrape. Les victimes actives sont agressives et projettent leurs aspects négatifs sur les gens qui les côtoient. Cette destruction revient dans leur direction mais le cheminement est d'abord vers l'extérieur avant d'être intérieur.

La victime agressive développe l'art de culpabiliser les autres et de les blâmer. Elle choisit le moindre prétexte. C'est une attitude de vie très courante qui demande de l'attention pour être extirpée des comportements.

Le jeu de la société dans son ensemble a consisté à propager une mentalité d'esclave au sens où Nietzsche la décrit. Pour que des enfants soient dociles, puis que les adultes soient soumis, il faut les priver de la conscience de leur pouvoir sur leur vie. Je n'ai pas de pouvoir, je dois obéir, tel est le message enregistré par l'enfant. Beaucoup d'adultes sont, dans cet aspect fondamental, d'éternels enfants. Il faut toujours comprendre à quel point pour chacun d'entre nous, la liberté est à la fois un cadeau royal et une lourde charge. Le mouvement d'évolution de la conscience est double. D'une part, nous souhaitons devenir toujours plus libres et responsables ; d'autre part, nous souhaitons secrètement rencontrer quelqu'un qui nous prenne en charge et nous saisissons la moindre occasion pour nous couler à nouveau dans la démission de nous-mêmes. Celui qui ne reconnaît pas ce processus à l'œuvre en lui ne comprend rien ni à sa vie amoureuse, ni à la vie tout entière de sa psyché.

Notre éducation et notre culture façonnent la conscience collective de manière à créer une pente naturelle de récrimination notamment sur nos émotions. Nous accusons les autres de nos états de malheur intérieur. Nos parents nous ont donné l'exemple : « Si tu ne fais pas ceci ou cela j'en mourrai », disent les mères ; « Tu ne peux pas faire ça à ta mère », dit le père, et la mère : « Ton père ne s'en remettra pas. » Ils nous ont rendus responsables de leur bien-être et à notre tour nous accusons nos conjoints ou nos enfants. « Je veux te rendre heureux » ou « Tu me fais du mal » sont autant d'expressions qui caractérisent cet état d'esprit.

La victime est aussi celle qui considère qu'elle se

fait toujours avoir : «Je fais confiance et régulièrement je suis déçue. » La victime programme en fait sa
déception mais elle ne le sait pas. La personne négative en elle a du pouvoir pour provoquer ce qui va lui
donner raison. Avec rancune et colère elle pourra
alors attaquer le conjoint, l'ex-conjoint, la famille,
l'ami, l'ex-ami, le gouvernement, le temps, la société,
le psy, le prêtre, Dieu... le monde entier est contre
elle. Elle est la bonne personne. Les autres ont tous
tort. Ce déploiement est un effort désespéré pour se
sortir d'une image négative à l'égard de soi-même,
d'une mésestime. Ce comportement est socialement
acceptable mais il ne fait qu'enfoncer plus profondément la personne dans sa frustration de base et dans
son système destructeur.

Dans la relation amoureuse, la personne qui a cet
état d'esprit de victime s'enthousiasme très vite et très
fort et nourrit beaucoup d'exigences inconscientes,
tout en posant l'autre sur un socle idéal. Elle deman-
dera toujours plus de preuves d'amour : « Si tu m'aimes, tu dois... », mais le vide est impossible à remplir.
Elle s'arrangera dans cette escalade pour se heurter à
un refus important qui remettra tout en cause et qui
lui permettra une fois de plus d'entrer dans son rôle
préféré.

Dans les couples, cette situation conduit rapidement au conflit et à la séparation. J'attends tout de
l'autre, je suis frustrée, je deviens irritable, désagréable, impossible, et l'autre finit par se lasser et me quitter pour quelqu'un de plus drôle. J'attends tout de
l'autre comme je l'attendais de ma mère. En fait, je
suis mariée avec ma mère. **Beaucoup de personnes
épousent ainsi non une personne mais un scénario
affectif.**

La boucle se fait pernicieuse et sadomasochiste lorsqu'une personne à tendance victime rencontre une personne qui prend beaucoup de plaisir à la persécuter au quotidien. Elle s'accroche alors intensément à cette relation qui justifie pleinement son système de plainte et de blâme. Elle se rend prisonnière et elle entre dans la sensation de ne rien pouvoir faire pour en sortir. C'est un point de perfection pour le système victime.

Elle appellera quand même au secours de temps en temps et elle rencontrera un sauveur. Ce sauveur idéalisé décevra inévitablement et le cercle continuera de se renforcer. Pour la victime, le monde est peuplé de bourreaux déguisés qui font illusion quelque temps mais qui finissent toujours par révéler leur vrai visage.

Il faut comprendre que, dans la victimisation de soi, réside un germe de destruction de toute relation intime. Car la relation intime porte dans son essence la confiance et l'apprentissage, l'occasion de grandir et de changer d'état d'esprit. Pour continuer de se donner raison, la victime souhaite secrètement être déçue et continuer de se maintenir dans des jugements négatifs sur les autres.

Chaque personne joue plus ou moins à la victime tous les jours et, pour tester quelle est sa part de participation à ce système dans sa vie, on peut se demander : combien de personnes m'ont déçue dans ma vie ? Quelle est ma part de responsabilité dans cette déception ?

La victime se plaint d'une injustice et il faut remarquer combien nous vivons dans ce système de pensée dans notre société. Être opprimé par l'État, par le capitalisme, par le pouvoir de l'argent, c'est être du côté du perdant au jeu de la vie. Toutes les formes de succès deviennent des insultes à ce malheur. Et celui qui perd a envie que personne ne gagne. Toute l'énergie sera consacrée à prouver que la vie ne vaut pas la peine d'être vécue et qu'il n'y a pas d'amour sur terre. Bien entendu, les choses ne seront pas dites ouvertement mais de manière insidieuse et constante, empêchant tout changement vers une vie plus heureuse.

La victime est l'objet de malversations et de manipulations de la part des autres. L'intérêt des autres pour elle se manifeste moins par cet amour auquel fondamentalement elle ne croit pas que par la méchanceté, l'ingratitude. Elle se sacrifie, elle donne et elle calcule ce qui va revenir, elle donne avec l'intention de prendre car elle reste centrée sur son besoin éperdu de recevoir et sa conviction qu'elle ne recevra rien.

Depuis des années, une jeune femme répète le même scénario. Elle rencontre un homme, elle l'admire, elle lui dresse une statue imposante, elle s'enthousiasme. Plus rien d'autre ne compte. Elle donne son temps, ses connaissances, son argent ; elle les met au service de l'activité de cet homme. Quelques mois plus tard, elle est déçue. Il ne répond pas à ses exigences. Elle devient de plus en plus irritable et jalouse. Il s'éloigne, elle est profondément déçue. La relation s'arrête. Elle réclame son argent. La personne refuse de le lui rendre. Elle se retrouve avec la même impression d'être flouée, bernée par trop de confiance et de naïveté.

Il est impossible de ne pas se poser des questions sur sa manière de se comporter pour que la répétition du scénario soit aussi constante à des années de distance. Tant que cette jeune femme ne travaillera pas sur les racines de son histoire de victime, elle ne sortira pas de cette ornière. Les années passant, elle a de plus en plus de gens à détester et elle est inconsciente de son rôle dans cette accumulation.

Je suis jaloux

Il est intéressant d'examiner la jalousie à la lumière du comportement de la victime. En chacun de nous, le jaloux correspond aussi à la partie qui attend de l'amour de quelqu'un, qui se nourrit de cet amour et qui ne supporte pas qu'une autre personne en bénéficie. C'est un outil puissant d'examiner en quoi le jaloux est un des visages de la victime d'une part, du nourrisson d'autre part.

Car la jalousie a plusieurs aspects. D'une part, elle peut être au niveau du ventre, comme une douleur irrépressible, incontrôlable qui empêche de dormir, fait ressasser les souvenirs. L'image de l'autre en train de faire l'amour déclenche des comportements de panique qui transgressent nos codes moraux. C'est ainsi que le jaloux fouille dans les papiers, les sacs, les bureaux du partenaire, se cache dans les armoires des heures durant, crève des pneus, a recours à toutes sortes de stratagèmes pour alimenter cette brûlure qui est en lui. Le jaloux est dominé par des réactions viscérales de manque. En un certain sens, il est comme le nourrisson qui hurlerait de manière incoordonnée parce que son biberon ne lui est pas donné à l'heure voulue. Il a faim, il réclame, il veut, il use de tous les moyens à sa portée, même inadéquats, pour faire cesser cette torture de la faim.

Le jaloux victime a une réaction secondaire. Il se sent abandonné, trahi, il est jaloux du bonheur des autres, il a envie de se venger, mais surtout de faire cesser cette image de bonheur qui lui échappe et qui fait offense à sa vision du monde. L'amour n'existe pas et il se fait un devoir d'éclairer ceux qui tombent dans cette illusion. Je suis perdant et je veux que toi aussi tu perdes. Toute l'énergie qui lui fait défaut dans le scénario victime se manifeste quand il s'agit de critiquer et de détruire.

Ce garçon adorait la brillante journaliste qu'il avait rencontrée dans un séminaire. Il voulut tout quitter pour la rejoindre. Elle lui signifia qu'elle n'était pas prête à un tel engagement. Ses attentes à lui étaient telles qu'il n'en tint pas compte. Il pensait qu'elle le rendrait heureux. Quelques mois plus tard, elle interrompit la relation. Il en conçut une telle blessure qu'il la critiqua auprès de tous leurs amis, et il lui reprocha de l'avoir conduit à se couper de son milieu par amour pour elle.

Il avait reproduit son scénario de dépendance à la mère suivi de déception. Progressivement, il se laissa gangrener par sa haine. Il essaya de ternir la réputation de la journaliste en inventant des histoires. Il passa plusieurs années à dépenser ainsi son énergie dans le mensonge et la folie. Finalement, il tomba malade, de plus en plus victime par la faute des autres...

Autant nous avons besoin d'apprendre à accepter, de reconnaître notre jalousie viscérale, celle qui correspond à notre nécessité d'être aimé d'un autre et des autres, autant nous avons à nous méfier du système victime dans lequel nous fait tomber notre blessure d'amour-propre.

De la victime au créateur

Heureusement, la victimisation n'est pas à l'œuvre dans tous les aspects d'une personne. Chacun porte des émotions négatives mais aussi une partie joyeuse et légère à laquelle il peut s'adresser. Il y a aujourd'hui beaucoup de séminaires et de thérapeutes qui permettent de développer cette possibilité positive. La victime cherche au départ un sauveur et n'a pas l'intention de se remettre en cause mais, rapidement, elle se trouve en face d'une part de ses impuissances et d'autre part de sa possibilité de recontacter son pouvoir.

Il arrive qu'elle prenne en otage son thérapeute et qu'elle fasse de lui un bourreau de plus à juger et à condamner. Mais, dès qu'elle commence à regarder comment fonctionne son piège, elle découvre aussi le moyen d'en sortir, d'accepter sa responsabilité. Le passage de la victime au créateur, du passager arrière au passager avant d'une voiture se fait par un véritable **retournement de l'être**.

J'accepte de considérer que tout ce qui m'arrive est directement ou indirectement relié à ma responsabilité créatrice. Prendre conscience de cette possibilité et de ses conséquences est l'affaire de toute une vie. Car un être véritablement créateur est un être libre. La guérison de soi commence avec la prise de conscience de ce pouvoir créateur : plus on l'exerce, plus on a confiance en lui et plus il augmente. La vie tourne dans un sens positif. L'attachement au thérapeute a besoin d'être surveillé, car ce « tu m'aimes » intermédiaire, ce regard, cette écoute, pour bénéfiques qu'ils soient, peuvent encore tourner à la dépendance et aggraver la frustration.

D'une forme d'amour à une autre forme d'amour.

Comment vais-je pouvoir aimer si je suis le créateur de ma vie ?

La victime attend que l'amour de l'autre la remplisse. Le créateur apprend à se remplir lui-même ou à attirer l'amour de l'autre vers lui. La victime est pétrie de mésestime de soi, de culpabilité, de passivité, de dépendance, elle a transformé ce creux en piège pour pouvoir capter malgré tout une énergie qui ne vient pas à elle de droit comme elle l'avait cru. De l'expérience du nourrisson, la victime a gardé le droit au biberon. En s'apercevant que cette toute-puissance ne marche pas, elle l'assortit du droit de blâmer, d'accuser et de se plaindre, elle se révolte mais elle est encore prisonnière du creux. Elle a même de plus en plus peur. Ce n'est qu'en acceptant de sortir la tête à l'air frais qu'elle découvre le plaisir de s'étirer et de jouer avec les autres sans les faire tomber dans son piège.

Désormais elle expérimente une autre facette de l'existence. « Tu m'aimes » devient une aventure créative.

Mystérieusement cette liberté qui joue avec la mienne m'apprivoise et s'apprivoise. L'intimité que nous partageons est comme un fruit rond, d'abord vert, qui mûrit, qui délivre ses senteurs, se déguste et se renouvelle.

Se sentir aimer, se savoir aimé est une conviction intime qui apporte de la joie et de la force dans l'existence. Ceux qui nous aiment nous couronnent et font de nous les rois de l'existence. Nous pouvons apprécier cet amour, nous réjouir, lui donner du temps, de la présence, le cultiver, le rechercher, l'attirer, mais nous ne pouvons pas l'exiger. Il est dans son essence une reconnaissance d'être à être, une nudité, une acceptation inconditionnelle. On n'est pas aimé « parce que » ou « bien que », on est aimé. Cette gratification est immense. Quand on dit de quelqu'un : il est très aimé, on signifie par là qu'il est reconnu comme un être bienfaisant pour les autres.

Recevoir sans demander

L'amour vient par surcroît. J'aime être aimé. Je ne peux, ne veux rien faire pour le provoquer. Toutes les marques de tendresse qui viennent à moi sont des cadeaux. Dans l'amour, je reste centré.

« Dès que j'aime quelqu'un je me penche vers lui », ou encore : « La difficulté dans le mariage, c'est de rester soi-même. » Combien de fois nous avons entendu ces réflexions et notamment de la part des femmes qui semblent avoir hérité de la conscience collective qu'il faut plaire pour être aimée et que, pour plaire, il faut faire plaisir, entrer dans les désirs de l'autre et oublier les siens. Ce décentrage au profit de l'autre ne tarde pas à créer un malaise. Hommes ou femmes, nous héritons tous de ces comportements d'enfance. Nos parents nous aimaient si nous faisions ce qu'ils demandaient et, si nous n'étions pas conformes, ils nous menaçaient de nous retirer cet amour. Dès que nous sommes alliés avec quelqu'un, l'enfant en nous a peur de perdre l'amour. La culpabilité est née aussi de cette période de l'enfance. Lorsque nous n'étions pas conformes, nous devenions mauvais. Sur certains enfants, la culpabilité a pris grand teint et sera difficile à déloger. D'autres ne se sont imprégnés que d'une petite teinte en surface qui va s'en aller au premier décapage. Ainsi, être aimé et ne pas se sentir coupable sont réunis dans le même jeu. Les personnes qui tentent de se faire aimer sont les mêmes que celles qui rachètent leur culpabilité. Les cadeaux ont parfois ce sens-là.

La séduction, les manœuvres de séduction sont des attitudes de captation, de prise de pouvoir sur l'autre qui relèvent davantage de la position du créateur que de celle de la victime. Mais le séducteur, au féminin comme au masculin, est dans une insécurité affective constante. Il renouvelle sans cesse ses tours de magie et se demande s'ils vont réussir. La demande d'amour est indirecte, elle relève davantage du prédateur que du gouffre. On pourrait dire que cette attitude est plus phallique psychiquement, conquérante, active. Sa face positive est créatrice, charmeuse, génératrice de plaisir pour l'autre comme pour soi. Sa face négative est la captation sans contrepartie, l'amour non réciproque.

Je prends cet amour dont j'ai besoin pour me sentir exister mais je ne peux rien t'offrir en retour, ou du moins je t'offre de l'éphémère là où tu cherches de la constance.

Il n'y aurait pas de séducteur sans personnes « séductibles », pas de bourreau sans victimes qui s'offrent consentantes. Il ne s'agit pas d'adopter la position traditionnelle de condamnation morale du séducteur. Mais de ressentir ce qu'en chacun de nous la séduction peut avoir d'inauthentique et parfois de dangereux pour soi comme pour l'autre. À la frontière de l'amour il s'agit encore d'une des facettes du vieux jeu dominant dominé.

Je te charme et je t'apprivoise pour prendre pouvoir sur toi et ne plus avoir peur.

Apprendre à recevoir de l'amour sans avoir peur de

le perdre et en restant soi-même nécessite une vigilance constante au début d'une relation. C'est un des aspects de croissance qu'offre la vie en couple. C'est l'apprentissage de toute une vie.

La sexualité du recevoir

« Fais-moi l'amour, soit mon initiateur ou mon initiatrice. Donne-moi du plaisir. »

La réceptivité est d'essence féminine, elle a une face positive et une face négative.

Le sexe féminin est un creux intérieur. On peut le voir comme une disponibilité permanente offerte au sexe de l'homme et en attente d'être rempli. Vase accueillant ou gouffre obscur et menaçant selon les perceptions masculines.

La conscience collective transporte encore beaucoup de passivité dans la conception du rôle amoureux de la femme. La femme offre son corps, l'homme fait le siège de sa virginité. La femme subit ses assauts et se laisse prendre. On le voit : le vocabulaire est guerrier et la femme apparentée à une forteresse. Sa reddition la plus prisée socialement sera celle de sa virginité. L'homme qui la pénètre s'agite en elle plus ou moins vigoureusement et cette friction est censée lui procurer du plaisir au rythme qui est celui du conquérant. Évidemment certaines femmes abordées sexuellement dans cet état d'esprit ne ressentent rien et subissent une pénétration trop hâtive où le désir n'a pas de place. **La passivité sexuelle peut être vécue comme un viol répété dans le lit conjugal.** La femme est alors victime de l'homme, de sa brutalité, de son ignorance, de sa force physique et du cadre légal du mariage. Certaines femmes sont ainsi dans l'ignorance totale du plaisir et se plient au désir de l'homme convaincues que le rôle de l'épouse comporte cette contrainte. D'autres simulent le plaisir sans l'éprouver parce qu'elles sont convaincues que c'est ainsi qu'elles peuvent s'attacher un homme, son intérêt, sa protection, son argent. Dans une société construite sur la dépendance matérielle et financière de la femme vis-à-vis de l'homme, la sexualité est une monnaie d'échange. Et ce n'est pas parce que les femmes aujourd'hui travaillent que cette forme d'esprit est complètement extirpée des relations homme-femme.

Toute femme est une mère potentielle. D'une certaine manière elle reçoit le sexe de l'homme dans son ventre comme elle accueille la présence du bébé. À chaque rencontre, sans qu'elle en prenne conscience, elle est la matrice du monde, la coupe d'une naissance et d'une renaissance. Soit elle est engourdie, soit elle se réveille et de passif son rôle devient actif. Même si son corps reste immobile, dans la mesure où sa conscience devient présente, l'acte sexuel change de sens. Physiquement aussi le vagin se lubrifie, devient comme un nid douillet. Pour beaucoup d'hommes, le plaisir de la femme revêt une grande importance. La capacité d'être un homme se mesure parfois à sa capacité de faire jouir une femme et les cris qu'elle émet font figure de preuve, de récompense. Pour flatter le narcissisme de leur compagnon ou pour ne pas avouer leur incapacité à ressentir du plaisir, certaines femmes ne se privent d'ailleurs pas de simuler. La frigidité féminine va souvent de pair avec une infériorisation, une soumission, un engloutissement psychologique. Toute femme frigide a besoin de développer son côté actif.

Dans l'acte sexuel, la femme n'est pas pure réceptivité. Elle collabore par ses mouvements et par les contractions intérieures de son vagin. Et, d'autre part, elle garde une initiative psychique, elle se concentre, elle accepte de parvenir à l'orgasme. Trop peu de femmes savent à quel point elles sont responsables de leurs orgasmes. Dans le chapitre sur l'amour de soi, nous aurons l'occasion de développer cet aspect. La femme peut également faire l'amour à l'homme en le chevauchant et sa jouissance viendra alors le plus souvent de sa propre activité. Dans ce cas, l'homme qui est en dessous de sa compagne adopte une attitude physique passive. Il se laisse aimer, caresser, stimuler, emmener jusqu'à l'orgasme. Cette inversion des rôles actif et passif est favorable à l'échange entre les partenaires et il est préconisé dans le Tantra. La femme a l'occasion d'entrer en contact avec sa virilité intérieure et l'homme avec sa féminité intérieure. Ils complètent ainsi leurs polarités naturelles.

Certains hommes ont une forme de frigidité en ce sens qu'ils ne ressentent rien ou très peu au niveau de leur sexe. L'orgasme lui-même reste souvent peu intense même si tout se déroule normalement pour eux sur le plan organique. On a pu associer ce manque de sensations à une sorte de coupure intérieure par la faiblesse de l'affirmation égotique, de la virilité dans l'action. Il y a comme un refus profond de rivaliser avec la virilité de la femme par peur de l'échec ou de la comparaison désavantageuse.

Plus un homme parvient à s'abandonner à une femme dans l'acte sexuel, plus il entre en contact avec sa féminité profonde qui lui fait rejoindre sa douceur intérieure et sa spiritualité.

Dans le recevoir, il y a pour une femme le moment de l'orgasme et de l'éjaculation. La semence de l'homme passe en elle physiquement et peut même donner lieu à la conception. Quand elle est attentive et consciente, elle éprouve un immense plaisir physique et subtil à ce contact.

CHAPITRE II

Je t'aime donc j'existe
Je donne

Qui j'aime ?

Recevoir de la nourriture et recevoir de l'amour est notre manière la plus instinctive de survivre physiquement et psychiquement. Nous avons vu que cette attitude première peut se généraliser en un comportement inadéquat de victime plus ou moins permanente. Donner ce que je suis, ce que je sais faire est aussi un élan fondamental qui intervient dès les premières années de la vie. L'enfant découvre le bonheur de donner son sourire, d'abord comme une réponse à celui de l'autre, puis de provoquer celui de l'autre. Offrir un baiser, un bouquet, un dessin sont les gestes par lesquels l'enfant découvre ce plaisir immense de la communication et du don de soi. Chacun peut retrouver en lui le souvenir, l'écho de ces premières émotions.

TÉMOIGNAGE :

« Je me souviens que mes parents étaient partis pour la matinée et que je restai seule à la maison sous la surveillance d'une jeune fille. Comme nous vivions à la campagne, il y avait du bois au fond du jardin entassé là pêle-mêle. Sans doute ce bois était-il déjà coupé en morceaux qui me paraissaient à ma taille. Toujours est-il que je décidai à l'aide d'une petite brouette de ranger ces morceaux de bois en tas. L'excitation montait en moi pendant tout ce travail. J'imaginai la surprise de mes parents. Je me sentais importante, utile. C'était ma première initiative, ma première tentative d'apporter mon aide aux travaux de la maison. Je ne suis pas sûre aujourd'hui que mes parents aient compris à leur retour toute l'importance qu'avait pour moi ce travail. Mais le souvenir de la joie que j'ai éprouvée est ineffaçable. Sur l'écran de l'ordinateur, ce sont des mots que j'aligne aujourd'hui mais la patience de ce labeur me vient peut-être en partie de cette première révélation de la joie d'offrir. »

Le plaisir de faire et celui de donner relèvent en chacun de nous de la dimension du créateur. À travers l'exemple du séducteur nous savons déjà que cette extension de soi est à la fois de l'ordre de la conquête et de la prise de pouvoir. L'enfant séducteur se plaît dans l'art du relationnel, l'enfant créateur aime la solitude, invente des jeux, des histoires, des objets. L'enfant à la fois séducteur et créateur sera le plus apprécié et le plus équilibré. *J'étonne et je donne, je donne ce qui plaît. J'aime et je suis aimé.*

Le doute s'introduit aussi. « Suis-je capable d'aimer ? », parallèle au doute : « Est-il possible qu'on m'aime ? » Quel est cet amour dont tout le monde parle ? Qu'est-ce qu'aimer ? Quelles sont ces personnes que j'aime ? Est-ce que je les aime parce qu'elles m'aiment ? Quel est ce sentiment de révolte et de haine qui m'oppose par instants à ma mère, à mon père, à mes professeurs, à tous ceux qui veulent me dire ce que je dois faire et ne pas faire, à tous ceux qui font peser sur moi leur autorité toute-puissante ? Pis encore, leur amour contraignant.

L'enfant ressent de la haine, de la peur à l'égard de ceux qui sont les plus proches de lui. Cette ambivalence de sentiments le déstabilise. S'il s'avoue à lui-même ces sentiments honteux, il ne parvient pas généralement à les exprimer, les dédramatiser. Il se sent coupable de ce ressentir incommunicable. Le succès d'Hervé Bazin dans *Vipère au poing* s'explique en partie par le fait qu'il soulève un couvercle grouillant, hermétiquement clos dans la conscience collective. L'enfant construit son intériorité et sa force d'affirmation en s'opposant, sa haine est une réaction de santé. Il a besoin de résister et même de triompher de cet autoritarisme qui le tient sous le joug de la force ou de l'amour. En raccourci, **on apprend à aimer en acceptant de haïr.** L'enfant qui, par peur de déplaire aux adultes, étouffe en lui cette force du non, ce rejet, ne se choisit pas contre les autres, mais se coupe aussi de son authenticité. Il y a ainsi plus tard chez les adultes des comportements de gentillesse, d'altruisme, qui recouvrent une violence refoulée et non reconnue. La haine est l'autre face de l'amour. Chaque fois que nous nous mettons en situation d'être écrasé par quelqu'un physiquement ou psychiquement, chaque fois que nous touchons à notre impuissance, la haine monte en nous. « J'ai la haine », disent les jeunes des banlieues qui signifient ainsi que leurs conditions de vie ne leur laissent d'autre choix que se révolter. Cette haine peut être destructrice mais elle a aussi un aspect fondateur. La

LA BRÛLANTE LUMIÈRE DE L'AMOUR

vivre, la reconnaître, la dépasser, la chevaucher, permet d'approcher l'autre sans blocage, sans fausses fioritures.

Qui j'aime ? J'aime ceux qui me reconnaissent, qui m'ont donné, qui me donnent, mais je suis aussi celui qui choisit d'aimer, qui exerce ce pouvoir souverain de choisir. Ce que j'aime me fonde et le mot en français est le même pour la nourriture, les objets, les maisons, les voitures, et les personnes. C'est une source de confusion mais c'est aussi un langage de sensualité. Tous mes goûts se définissent à partir de l'exercice de mes sens, ce que j'aime et ceux que j'aime.

Ceux que j'aime sentent bon (d'où l'expression je ne peux pas le sentir), ont la peau douce pour moi, un bon goût, une voix musicale, et leur apparence physique me plaît.

Peu importent les critères esthétiques. Ce plaisir de la présence corporelle de ceux qu'on aime est d'un autre ordre.

Ceux que j'aime sont beaux au-dedans et font résonner en moi des cordes d'admiration, de complicité.

Ceux que j'aime me ressemblent ou ressemblent à ce que je voudrais être. Je dialogue avec les vivants et les morts à travers les livres, les tableaux, les musiques. Ceux que je reconnais m'aident à me définir. Quelle est la part de complaisance et de narcissisme dans l'amour qui m'élance vers quelqu'un ?

Le cercle d'intimes est en général constitué de la famille proche plus ou moins subie ou rechoisie, des conjoints, des amants, des amis, des enfants, des collègues. Une dizaine de personnes pour les uns, le double pour les autres, et sur chacune de ces personnes est déposée un peu de la capacité à aimer. Ce cercle s'agrandit ou se rétrécit avec les années selon le mode de vie. Notons que ceux qui sont les plus importants dans l'instant sont ceux que l'on aime et c'est avec eux que nous jouons la pointe de notre évolution. Mais peut-être n'a-t-on aimé profondément au cours d'une vie qu'un seul être.

Je suis toi

L'amour fusionnel est une demande du « tu m'aimes », mais aussi une démarche du « je t'aime ». Il en reste une trace et une tentation dans toutes les rencontres amoureuses.

J'ai envie de faire corps avec toi. Tu m'offres l'occasion de renoncer à ce moi coupé et séparé qui me fait souffrir, je me projette en toi, je vis par toi, je ressens à travers toi. Je me laisse porter dans ta direction, je me mets à ton service, je tente de te faire plaisir, je trouve dans cette désertion de moi ma raison de vivre et ma grandeur.

Il n'est pas étonnant que l'amour maternel ait quelque chose d'assez proche de cette attitude amoureuse. La mère et l'enfant gardent une trace psychique indélébile de leur fusion physique. Prolonger ce temps de grâce corporel paraît une possibilité. Le dévouement de la mère pour son enfant se met en place d'autant plus aisément que la mère vit le corps de son enfant comme le prolongement du sien. Ce qu'on appelle l'instinct maternel a sans doute quelque chose à voir avec ce mécanisme de projection. La mère qui se sacrifie pour son enfant est un des thèmes favoris de la conception traditionnelle.

Dans les séminaires, je propose souvent un exercice qui consiste à visualiser son propre cercle, puis à visualiser celui de sa mère, celui de son père, parfois ceux des frères et sœurs et ceux du conjoint, des enfants.

Il ne s'agit pas de penser. Il s'agit de respirer, de se mettre en état de relaxation et de laisser venir les images. Si on ne voit rien, on peut aussi prendre un crayon et dessiner sans penser ; les matériaux ainsi obtenus sont souvent étonnants de précision. En quelques minutes la constellation affective et familiale apparaît avec ses conflits d'intrusion et de proximité. Je demande dans un premier temps d'accepter les images comme elles se présentent puis de tenter de modifier la configuration en fonction de ce qui nous paraît souhaitable.

Par exemple, le cercle de maman empiète sur le mien ou même parfois se superpose exactement au mien et je ne me sens pas bien. Je peux dans ce cas déplacer mon cercle ou le sien et tenter de voir si la nouvelle configuration se stabilise. Tout parle : la grandeur des cercles, leur emplacement, leur empiètement, leur éloignement, l'isolement de l'enfant ou son étouffement. Quel que soit leur âge, beaucoup de personnes témoignent ainsi d'un fusionnel à la mère non résolu et parfois au père, au frère, au mari. Très souvent aussi, le père et la mère ont un schéma d'englobement l'un par rapport à l'autre et l'enfant reproduira ce même schéma dans son couple. La richesse de cet exercice c'est d'apporter à la fois un constat et une solution. En visualisant ce schéma et en le modifiant, en le dessinant et en modifiant le dessin, la personne instaure un dialogue avec son inconscient. Certaines personnes changent leurs comportements après avoir osé modifier les cercles, comme si à l'occasion de cette symbolisation, elles s'étaient donné une autorisation.

La pratique de cet exercice très simple dégage une

grande énergie quand elle est dirigée par une conscience ouverte sur la transformation.

Il faut comprendre que, tant que nous maintenons ce fusionnel parental, d'une certaine manière nous restons emprisonnés affectivement. Ce comportement est inadéquat par rapport à une demande d'évolution et c'est en ce sens qu'il fait souffrir. L'évolution consiste dans un processus d'individuation toujours plus accepté. L'attachement à l'un des parents symbolisé par l'intersection des cercles maintient une partie de la personne dans une immaturité affective. Sa manière d'aimer, de nouer des relations reflète cet enchaînement. Elle répète sur son partenaire ou ses enfants cet empiètement qu'elle subit. Elle ne connaît pas la liberté d'entrer et de sortir de la fusion, de se retrouver par moments seule et entière.

Dans le processus amoureux, ceux qui transportent un schéma fusionnel parental tentent plus que d'autres de développer un fusionnel de longue durée. Ils se décentrent si fortement que parfois leur cercle vient s'ajuster très exactement à celui de l'autre. Ce sont ceux qui sont prêts à mourir d'amour, qui souffriront au moindre éloignement, qui se laisseront gangrener par la jalousie. Les meilleurs s'abandonnent sans retenue dans l'adolescence à une tentative de fusion impossible et glissent dans la dépression devant l'échec de l'amour. Personne ne les a avertis qu'ils ne connaissent ainsi que la face absolue et destructrice d'une fusion primitive qui n'est pas l'amour.

Il n'y a pas à désespérer de l'amour à partir de cette compréhension si limitée. Quelle beauté pourtant à saluer et à garder toute sa vie un rêve d'infini ! À la fois il nous faut faire le deuil de ce fusionnel, avec les parents ou avec un être aimé, et préserver ce désir fou et saint qui nourrit la rencontre avec soi-même et avec l'autre.

Comment me chercher en toi sans me perdre en toi, comment t'aimer sans t'aimer plus que moi-même. Que les chants de désespérance sont beaux et comme ils disent tous la même soif de l'autre, le même cri : je suis dévoré par l'amour que je te porte et qui finit par rester sans réponse. J'aime jusqu'à mon aveuglement et mes mains se ferment sur l'absence.

Certains se brûlent à cette flamme dévorante d'un amour absolu qui promettait de donner un sens à la vie. Beaucoup d'auteurs racontent dans les romans avec des accents trop vrais pour ne pas être autobiographiques leur voyage de perdition dans l'amour-fusion.

L'amour sacrificiel

« J'aime trop » : qu'y a-t-il derrière cette expression souvent attribuée aux femmes. On pourrait répondre très vite : « Je ne m'aime pas » ou : « Je ne me donne pas le droit de m'aimer. »

Je n'ai de la valeur que si je me dévoue pour quelqu'un d'autre. Ce dévouement donne un sens à ma vie, me permet d'exister vraiment.

Le rôle du généreux et du sauveur se profile. Il y a quelque chose de maternel dans cette attitude et c'est sans doute pourquoi les femmes l'adoptent plus volontiers. À cela s'ajoute le fait que l'identité féminine est très malmenée et que toute femme se vit comme potentiellement coupable et susceptible de se racheter par une conduite sacrificielle. La conscience collective transporte cette incitation. Le rôle de mère magnifié par la Vierge Marie rachète les péchés d'Ève la coupable. Le plaisir sexuel trouve sa justification et son rachat par le dévouement.

Le sacrifice, pour altruiste qu'il soit, répond à un besoin personnel, non reconnu ou nié. Ce besoin se travestit en don alors même que les véritables besoins spirituels de l'autre sont ignorés. Car, s'il y a un donneur, il y a un receveur. Cette position de celui qui reçoit est très éprouvante si elle est à sens unique. Elle est destructrice à long terme. La dignité d'une personne se fonde sur sa capacité à émettre, à manifester son pouvoir, sa valeur. Des enfants à qui les parents apportent tout seront des enfants gâtés, ce qui signifie aussi abîmés. On sait bien maintenant que rien ne détruit plus sûrement une ethnie minoritaire que de lui verser une pension sans contrepartie. C'est ainsi que les aborigènes d'Australie ont versé dans l'alcoolisme. Dans une famille, si l'un des membres se comporte en pourvoyeur, tous les autres peuvent glisser dans un comportement parasite, révolté, destructeur par manque de responsabilités. Dans un couple, la prise en charge de l'un des partenaires par l'autre dégénère souvent en conflit et séparation.

Ainsi cette jeune femme qui par amour acceptait de partir tous les matins au travail et d'utiliser l'argent qu'elle gagnait pour faire vivre le ménage pendant que son mari paressait au lit jusqu'à midi et jouait ensuite à différents jeux d'argent. Le chômage était à l'origine de cette situation qui tendait à s'installer. Disponible pour l'amour, disponible pour des massages, disponible pour la cuisine, pendant le week-end, Anne poussait loin le désir d'être exploitée par amour. Sa révolte pointait par des accès de mauvaise humeur mais c'est la maladie qui lui permit vraiment de stopper cette escalade. Pendant toute son enfance elle avait vu sa mère se mettre au service de son père et il lui fut impossible pendant longtemps de se comporter autrement.

Jacqueline aussi se dévouait corps et âme pour son mari et pour ses enfants. Elle disait : « Je les aime, je me fais du souci pour eux, je veux faire tout ce qui est en mon pouvoir pour les rendre heureux. » Non seulement elle travaillait à l'extérieur, mais elle s'occupait de la maison, du linge de tous, des repas, du jardin et rien n'était trop beau pour eux. Pendant qu'ils sortaient ou regardaient la télévision, elle s'activait comme une fourmi perpétuellement, elle prenait sur ses heures de sommeil pour le repassage. Pourtant le mari rentrait de plus en plus tard et les enfants se montraient ingrats, travaillaient mal à l'école.

Cette femme parfaite ou parfaitement sacrificielle s'est posé quelques questions et elle est venue consulter. Sa mère était une femme brillante, souvent absente, qui ne s'était guère occupée de sa famille et elle se rappela qu'étant enfant elle s'était promise de ne pas lui ressembler. Elle se rendit compte qu'elle s'efforçait de maintenir une image de bonne mère et de bonne épouse et qu'ainsi elle infantilisait sa famille. En un sens, elle se faisait l'esclave de tout le monde mais en un autre sens elle était toute-puissante et indispensable : elle achetait l'amour des siens, elle se dérobait à cette peur de n'être pas aimée qui s'était renforcée dans sa relation avec une mère absente. Elle avait besoin d'apprendre à se respecter, d'apprendre qu'aimer, c'est être sincère avec soi-même, exprimer ses colères et ses déceptions, prendre le risque de se confronter, qu'aimer, c'est aussi encourager l'indépendance et non pas créer de la dépendance.

La situation a évolué parce qu'elle a cessé de tout faire pour les autres. Elle a demandé que les tâches ménagères soient réparties, elle s'est accordé du temps, elle s'est occupé d'elle, a retrouvé sa coquetterie. Elle abandonnait son image de mère parfaite et ce fut difficile au début. Le mari et les enfants réagirent avec colère. Mais elle tint bon et peu à peu ils découvrirent les avantages de cette situation. L'intérêt du mari pour sa femme remonta visiblement, ils commencèrent à passer de plus en plus de temps ensemble. Les enfants devinrent plus vivants, plus autonomes et apprécièrent visiblement la communication nouvelle entre leurs parents. Sortir de l'ornière du sacrificiel, c'est aussi sortir d'une sorte de masochisme, de mauvais amour de soi.

Françoise était devenue la compagne d'un écrivain plus âgé qu'elle qui prônait dans ses romans le respect de la femme et du féminin. Elle s'habillait de manière très provocante et on aurait pu croire qu'elle vivait de ses charmes. La candeur de son regard et la noblesse de son âme démentaient d'ailleurs rapidement cette impression quand on la connaissait. Son sens esthétique était réel et ses choix vestimentaires pouvaient intriguer. Elle avoua un jour : Henri m'aime ainsi, c'est lui qui me pousse à m'habiller comme une putain.

Pour lui plaire, Françoise en était arrivée à ne plus consulter ses propres goûts, à n'avoir que très peu conscience de l'effet qu'elle produisait partout où elle passait. Devenue une caricature d'elle-même, elle vivait dans une insécurité constante sans cesse renforcée par sa propre provocation. Henri aimait sa fragilité, cette fragilité entretenue par son anticonformisme, mais aimait-il vraiment son outrance ? En apparence, elle représentait l'inverse de ce qu'il chantait chez une femme, même si, en profondeur, elle était cette force et cette beauté.

Qu'est-ce qui poussait cette femme à se mutiler ainsi, qu'est-ce qui poussait cet homme à la maintenir dans cette mutilation ?

Leur couple représente un cercle fermé d'aliénation réciproque. La femme intérieure de cet homme reste double, il n'a pas fait la jonction entre la vierge et la prostituée, entre la mère et l'amante.

Dans sa vie, sa femme et ses enfants vivent d'un côté, Henri vit de l'autre avec Françoise. Quand sa femme, qu'il a quittée, parle de Françoise, elle dit d'ailleurs : « ta putain ». La culpabilité de Françoise répond comme dans un jeu de miroirs : elle est une mère attentive mais elle a toujours maintenu une grande énergie sur sa vie de femme et d'amante. Elle manifeste ce choix aux yeux de tous de manière agressive. L'archétype de Lilith est sur cette femme et elle se débat entre la force primitive et magnifique qu'elle lui donne et la faiblesse honteuse qui l'accable à d'autres moments. Lilith représente cette femme à jamais libre que ni le rôle d'épouse ni le rôle de mère ne peuvent retenir en dessous d'Adam, dans une position d'infériorité et de soumission. Toute femme porte en elle un aspect Lilith et un aspect Ève, et sa tentation d'aliénation est souvent de renoncer à l'un des pôles au profit de l'autre. Comment maintenir la tension entre la fidélité à soi-même, la fidélité dans la relation et la liberté ?

C'est Françoise qui a changé la première parce qu'un autre désir s'est glissé dans sa vie. Ce nouvel amour la voulait, la voyait plus simple, plus dépouillée, plus vraie. Elle a oscillé quelque temps. Henri commence à se débattre avec les démons de la jalousie, il découvre, il accepte la nouvelle Françoise...

L'amour sacrificiel a pour contrepartie le rôle du sauveur. L'amour sacrificiel a pour moteur secret le désir d'être sauvé, le désir d'être aimé. Le « je t'aime » excessif masque un besoin non avoué, une manipulation pour combler le creux du « j'ai besoin d'amour ». Une femme qui cherche toujours un homme à sauver ne s'avoue pas qu'elle donne précisément ce qu'elle voudrait qu'on lui donne. Le décentrage du sacrifice est aussi un mensonge à soi-même.

Geôlier et prisonnier

« J'étouffe », dit l'homme qui se sent prisonnier de son rôle de mari, d'amant ou de père. « Je veux partir », « Je vais partir », « Je pars », dit la femme qui souhaite sortir de l'emprise de son pygmalion de mari. Le mariage et le couple sont souvent représentés comme une prison : l'homme se met la corde au cou, fait une fin. La femme broute désormais dans le pré où elle est attachée. Autant d'images reliées à une perte de liberté. Y a-t-il donc un piège dans la relation ? Derrière l'euphorie du « Je t'aime et tu m'aimes », n'y a-t-il pas : « Je te tiens et tu me tiens », le jeu d'une possession exclusive redoutable. « Tu es à moi et je suis à toi. » Terrible mâchoire.

Au nom de l'amour, je bâtis autour de toi un nid qui devient une forteresse. Du haut de la tour, tu peux encore regarder passer le fleuve de la vie amoureuse mais désormais tu es exclu de ce courant. C'est ainsi que l'on devient les spectateurs nostalgiques de l'amour. Tous les risques d'autres rencontres importantes ont été éliminés. Entre le travail, la maison, l'ambition et la télévision, l'argent à gagner et à dépenser, il ne reste plus de place pour l'imprévu, la palpitation de l'âme et l'espace de la conscience. Le risque d'aimer s'est refermé sur le quotidien d'un amour fané. Toutes les périphéries construites pour protéger l'amour ont fini par le dévorer et au centre il ne reste plus rien.

Les prisonniers se révoltent souvent à grands cris avec des crises, des colères qui sont autant de tentatives pour ranimer le feu de la passion éteinte. Ils menacent de partir et ils ne partent jamais. Il y a ceux aussi qui imaginent la prison avant même qu'elle ne se soit refermée sur eux. Ceux-là sont des phobiques de l'engagement ; ils font tout pour séduire une partenaire et, au moment de vivre ensemble ou de se marier, ils s'enfuient à toutes jambes.

Mais les prisonniers sont aussi des complices de leurs geôliers, tout comme le masochiste entretient une complicité avec le sadique. L'un et l'autre sont en fuite d'eux-mêmes.

Plus je t'aime et plus je t'enferme, plus je t'aime et plus tu m'échappes et plus je me fuis, tel est le langage du geôlier. Plus je t'aime et plus tu te dérobes, plus je t'aime et plus je m'offre et plus je me fuis, répond la victime.

La peur d'aimer a subrepticement repris ses droits dans une sorte de glissement. Même si on parle encore d'amour, on a changé de plan, on est passé de l'être à l'avoir. Il y a le mot âme dans amour. Deux êtres qui s'aiment tentent de frôler leurs âmes. Un être qui aime est touché par une émanation subtile de l'autre et tente d'approcher, d'incarner une promesse de bonheur. La mise en tension qui s'opère dans la rencontre est très importante et parfois insupportable à certains. Le paradoxe du désir et de la peur mêlés ne résiste pas souvent au temps. Ce champ de l'être occupe trop d'espace dans un monde qui a appris à colmater ses angoisses de vide par la possession matérielle.

Refermer mes bras sur toi d'une manière ou d'une autre c'est faire cesser cette tension d'un appel lancé dans l'océan d'incertitude qui entoure ton désir. Si tu me dis ton amour, si tu t'engages, si tu vis avec moi, si tu m'épouses, si nous avons un enfant ensemble, si nous achetons une maison ensemble, si nous bâtissons des projets ensemble, nous pouvons nous poser et nous rassurer. Certes, nous allons construire mais allons-nous garder cette distance, ce mystère de l'être qui nous fait vibrer si fort tant que rien ne se matérialise ?

Dans cet élan du « je t'aime », chacun n'offre-t-il pas à l'autre un cadeau illusoire, celui de sa liberté. « Prends-moi », « Je suis à toi », « Je suis à tes pieds », « Je suis ta servante », « Je suis ton humble serviteur ». Il y a dans l'amour cette abnégation, ce don, cette mutuelle démission de soi. Chacun ignore à quel point l'autre se donne à lui.

Dans la divine légèreté de l'amour, j'ai le sentiment d'être délesté du poids de ma liberté. J'ai trouvé un être par qui passe mon bonheur. Je peux me couler dans sa demande. Ce qui le rend heureux me rend heureux.

Terrible illusion. À un moment ou à un autre, au bout de quelques mois ou de quelques années, chacun retrouve l'exigence et le poids de sa demande personnelle. L'amour de l'autre ne survit qu'à condition d'avoir réassumé sa propre liberté. L'amour pour l'autre ne survit qu'à condition qu'il ait lui aussi appris à aimer sa liberté.

Martine était une adolescente fragile et délicieuse, rejetée par sa mère et élevée par sa grand-mère. Il y avait en elle une zone de désespérance, de néant, une complicité avec la destruction qui se manifestait par cycles et qui l'empêchait de s'intégrer socialement. Elle rencontra Benoît qui était aussi solide et structuré qu'elle était fluide et fragile. L'amour joua entre eux par attraction des contraires et un programme d'échange s'instaura. Sans vraiment le savoir, elle désirait devenir forte, et lui souhaitait ouvrir sa sensibilité. Pendant plusieurs années, ils firent exactement ce que font de nombreux couples. Ils se calèrent dans leurs identités de départ et équilibrèrent le couple en termes de complémentarité. Avec le temps, ce fonctionnement ne satisfait personne parce qu'il n'est pas évolutif. L'arrivée de deux enfants leur permit de se maintenir dans ce statu quo mais quelques années plus tard, Martine rencontra un nouvel amour.

Un, puis deux, puis trois. Perpétuellement insatisfaite, elle se sentait prisonnière de sa famille, ses enfants et son mari. Elle dépendait financièrement de lui et elle ne se sentait vivante que lorsqu'elle était amoureuse d'un autre homme. Son mari souffrait de cette situation et c'est sa souffrance qui vint bousculer la situation. Martine le vivait comme son geôlier et il la vivait comme son bourreau. Martine l'entraînait toujours plus loin dans le morcellement de lui-même, et elle finissait par le mépriser de ne jamais se révolter. Elle ne le désirait plus et il était toujours demandeur. Son engloutissement, sa soumission à Martine dura quelques années. Jusqu'au jour où il reprit conscience de lui-même, de ce qu'il se devait à lui-même et remit son couple en question.

Plusieurs fois, Martine avait voulu partir ; plusieurs fois, elle était partie puis revenue. Lorsque Benoît décida de quitter Martine, rien ne put le faire revenir en arrière. Il aimait toujours sa femme, il la désirait toujours, et il s'aperçut vite que depuis qu'il était parti elle le désirait à nouveau. Mais il y avait toujours un autre homme dans sa vie, le dernier, celui justement qu'il n'avait pas pu supporter. Il rencontra une amie et, pour rester fidèle à sa conception de l'amour, il décida désormais de se consacrer à cette unique relation. Il interrompit donc toute relation sexuelle avec Martine. Il l'aimait encore mais il refusait cette idée qu'on puisse aimer deux femmes à la fois, il avait l'impression de donner raison à Martine en entrant dans ce jeu.

Martine, maintenant, vit seule avec ses deux enfants, deux filles. Elle est confrontée au fait de se tenir debout toute seule. Même si elle est soutenue financièrement, elle doit travailler, elle se réinsère socialement. Elle est obligée de faire appel à sa virilité intérieure. Dans une situation de dépendance matérielle et sociale comme celle de Martine, une femme ignore souvent que le fait de désirer des amants est un dérivatif dans sa quête de son animus. C'est son estime d'elle-même qu'elle cherche, sa créativité, son animation intérieure, son désir, tout ce qu'elle a perdu en se coulant dans la dépendance. L'amant lui redonne une illusion de liberté mais l'authenticité d'un amour ne peut se développer sur ce vide.

Martine avoue que les moments où elle s'est sentie le mieux au cours de ces quinze années de mariage, ce sont ceux où elle se partageait entre deux hommes.

Le fait d'avoir un amant lui permettait de retrouver du désir pour son mari. C'est là l'indication que cette femme ne savait plus trouver dans son mariage sa solarité, cet espace intérieur de liberté qui permet de rester créatif, désirant. Le souffle de l'aventure passait par le relationnel. Si on pousse l'analyse un peu plus loin, on découvre que Benoît, son mari, était un bon amant, qu'il la désirait beaucoup mais qu'il ne prenait pas le temps de la caresser. C'était du sexe, disait-elle. Par contre elle choisissait des amants souvent tendres et raffinés, ayant davantage de contact avec leur féminin intérieur. Cette tendresse la faisait vibrer à nouveau, l'alimentait au niveau du cœur, et cette irrigation psychique profitait aussi à son couple. Dans les couples où la vibration d'amour est malmenée par le quotidien, certaines femmes ont une réaction de survie, pour retrouver leur côté solaire et la déesse d'amour. La voie est quand même sans issue à long terme lorsque la demande profonde de cette femme est d'accéder non pas à un autre homme mais à elle-même, à des aspects d'elle-même moins étriqués, moins impuissants.

Je t'aime ne signifie pas : Je renonce à découvrir mes possibilités pour me mettre à ton service, ou même au service de notre famille. Cette illusion est au cœur du comportement de beaucoup de femmes amoureuses ou de femmes mariées. Dix ou quinze ans plus tard, elles découvrent l'ampleur de leur insatisfaction et se sentent dupées. À leurs récriminations le mari ne sait que répéter : Je fais tout ce que je peux pour toi. N'es-tu pas comblée ? etc. La douleur d'être incomprise s'ajoute à l'impuissance.

L'homme de ce couple se sent tout aussi floué mais d'une manière différente. Il travaille comme un fou pour assurer le confort de sa famille. Ce challenge quand il est réussi lui donne une bonne image de lui et de ses capacités, sauf s'il travaille dans un secteur non créatif qui le laisse insatisfait. D'autre part, si sa femme se refuse à lui sexuellement, si le climat des soirées est plus au conflit qu'à la tendresse, il aura l'impression de s'être fourvoyé dans un enfer ou dans un désert affectif. La rencontre d'une autre femme, d'un autre amour, apporte un soulagement. Mais souvent il est trop malheureux, trop en déficit d'énergie pour s'offrir le luxe d'un autre risque affectif. Il « cuit » sur place en attendant le pire, c'est-à-dire que sa femme le quitte. Lui qui a bien réussi socialement vit un terrible échec affectif dont il ne sait pas comment se remettre. Il commence une dépression, se remet en cause, se pose des questions, récupère juste assez pour amorcer une nouvelle relation. Il se dit qu'il fera mieux une deuxième fois. La blessure a creusé son sillon et il va tenter de mieux comprendre les règles du jeu. Cette crise est l'occasion d'une évolution importante dans sa vie. Lui qui avait consacré toute son énergie à son métier s'ouvrira désormais à d'autres activités, la lecture, la promenade, les amis....

Dans son rôle de mari et de père, un homme ne peut faire autrement que de partir à la guerre dans le monde économique. Ses qualités de guerrier le handicapent pourtant dans sa rencontre avec la femme et avec sa propre féminité.

Dans son rôle d'épouse et de mère, la femme maintient sa sensibilité très ouverte et cette sensibilité la handicape dans son combat pour se faire une place au soleil dans le monde professionnel. Heureusement, aujourd'hui, le fait que beaucoup de femmes travaillent à l'extérieur entraîne une recomposition des identités et une redistribution des rôles. Mais, dans un schéma patriarcal traditionnel, le piège pour le désir et l'amour est évident. L'homme et la femme vont de moins en moins se comprendre, devenir des ennemis l'un pour l'autre et s'entraver mutuellement dans leur évolution.

La prison de la possession et la prison de l'exploitation ne cessent de se répondre, deux comportements qui répondent à la peur, à ce qui en chacun est le plus archaïque. L'homme et la femme acceptent de se laisser exploiter et posséder l'un par l'autre pour accéder à la réciprocité. Dans ce marché de dupes, l'amour s'étiole.

Comme elle est belle, Hélène, malgré sa petite taille, et comme elle est ardente avec sa chevelure blonde qui mousse autour de son visage fin. Et ses yeux noisette se posent avec tant d'amour qu'on a envie de la prendre dans ses bras. Jeune fille romantique, elle a cru se marier par amour, mais elle a simplement entendu le choix de son père : un gendre doué pour les affaires comme lui et qui mettrait sa fille à l'abri du besoin. Les enfants ont consolidé ce choix mais Hélène reçoit trop de regards éloquents pour rester insensible. Elle découvre que la sexualité peut être une merveilleuse abondance de bien-être avec un homme de vingt ans plus jeune qu'elle. Elle a quarante ans, ses sens flambent et son cœur s'ouvre. Elle découvre ce qu'aimer veut dire entre un homme et une femme. Elle découvre en même temps qu'elle aime son mari comme un frère. Elle est emportée par la passion jusqu'au jour où son amant lui apprend qu'il va partir pour son travail et où il lui demande si elle est prête à le suivre. Le déchirement est terrible. Hélène n'a aucune autonomie financière, elle ne

peut en aucun cas envisager d'abandonner ses
enfants. Elle renonce. Le renoncement à cet amour
la précipite dans un deuil sans fin, deuil du désir,
deuil du bonheur qui avait ce visage-là. Hélène se
tourne vers la prière, tente d'échapper à la dépression, commence une analyse et comprend qu'elle ne
s'est pas encore rencontrée. Le voyage vers elle-même
la conduira à quitter son mari maintenant que ses
enfants sont devenus grands, et à tenter de rencontrer
à nouveau l'amour – à moins que ce voyage vers elle-
même la conduise à sublimer l'amour dans une quête
plus universelle.

J'ai peur d'aimer

« Je ne connais que l'élan des premiers émois, ensuite
je me ferme, je manipule, j'enferme, je me protège. »
« Il y a trop de menace, trop de souffrance et d'incertitude dans le fait d'aimer », dit Herbert.

Dans notre civilisation nous parlons beaucoup
d'amour, nous le chantons, mais nous avons peur de
nous ouvrir à cette ardeur dévorante. Aimer quelqu'un, n'est-ce pas entrer dans la vulnérabilité, dans
le besoin de l'autre ?

*Je t'aime pour toi, pour ce que tu es, mais je t'aime aussi
pour moi, j'aspire à ta présence, j'ai besoin de te rencontrer
pour ressentir un peu de ce mystère qui me polarise vers toi
et qui me révèle à la fois ma capacité à aimer et ma capacité
de bonheur. T'aimer, c'est te porter en moi à chaque instant,
nourrir un feu, une incandescence qui me réchauffe et me
dévore. J'ai peur, j'ai peur de perdre cette palpitation si
vivante à l'intérieur de moi, j'ai peur d'être déçu par toi et*

par moi, j'ai peur de me refermer. Enfant, je garde le souvenir d'un amour manipulateur de mon père. Si je m'ouvrais à son sourire, si je me confiais à lui, plus tard il l'utilisait contre moi. Quelque part, affectivement, je suis un éternel enfant qui n'ose pas ouvrir son cœur aux adultes que sont les autres. Mon cœur est pur et vulnérable. Je cherche les émotions qui vont m'ouvrir comme par effraction et je les fuis. Qui m'aidera à apprivoiser ce cœur sauvage qui se referme comme un bourgeon trop tendre face aux premiers froids ?

Beaucoup de gens cherchent l'amour, et souvent inconsciemment, beaucoup de gens refusent l'amour. Une vie compliquée, surchargée, une hygiène de vie bancale, des somatisations en chaîne, des ambitions, des soucis financiers sont autant de manières de rester dans la survie. Nous construisons notre existence de manière à ne pas avoir le temps et l'espace d'une ouverture à l'amour. Les dures conditions de la survie justifient une fermeture, et même une dureté du cœur.

L'amour de cœur est un luxe inventé en marge du labeur par les femmes oisives et les poètes vagabonds, aussi inutile et aussi indispensable que la beauté, le parfum, la tendresse, le bonheur. Tous ceux qui placent l'argent et la conquête en premier plan tenteront vainement d'acheter ce superflu.

Nous sommes dans un monde qui a perdu de vue l'amour comme il a perdu le sens de l'être. Cette intensité intérieure recule dans des marges élitistes au point qu'il faut se poser la question : qu'est-ce qu'aimer ? Il est plus facile de définir ce qu'il n'est pas que ce qu'il est. L'amour n'est pas l'affection que l'on porte à ses parents, à ses enfants, à ses amis, l'amour n'est pas l'empathie, ni la sympathie, ni le don, ni le plaisir partagé, ni la compréhension, ou plutôt il est tout cela avec le risque du cœur ouvert. Une sensation physique et psychique au niveau de la poitrine, un picotement, une chaleur dans ce qu'on appelle un centre d'énergie (ou un chakra dans les traditions orientales) polarise une présence à soi-même pleine et une.

À l'occasion d'une rencontre avec un être particulier se déclenche en moi cette coulée de miel si délicieuse qui est à elle-même sa propre réponse. J'ai la révélation d'une dimension d'intériorité que je transportais sans la connaître. C'est ainsi que l'amour de soi et l'amour de l'autre se répondent.

Pourquoi avoir si peur d'une sensation si merveilleuse ? Parce qu'elle paraît souvent éphémère, volatile et illusoire. Elle est déposée sur une personne qui peut me trahir, me blesser, me renvoyer dans ce néant où je vivrais désormais en exil de l'amour. Cette souffrance cuisante fait très peur.

Je t'aime et tu ne m'aimes pas, je t'aime et tu me quittes. Je t'aime et tu en préfères un ou une autre. Je peux me refermer violemment et décider que désormais je me laisserai aimer mais je ne m'exposerai plus.

Le blessé devient blessant et dangereux pour ceux qu'il va attirer dans son orbite. En positif comme en négatif cet amour-là est une brûlure du sang, un battement du cœur constamment entendu. Il creuse une profondeur, il emmène vers la lumière, il détruit au passage.

Mais qui n'a pas connu cet amour fou n'a pas vécu. Pendant dix ans, vingt ans on tente de se maintenir dans un cercle d'affection tranquille mais un jour ou l'autre la partie la plus vivante et parfois la plus cachée de soi sera prise comme par effraction par un visage, un sourire, une émanation. On dit parfois qu'on n'aime qu'une seule personne de cette manière-là dans une vie, en amont ou en aval, parent ou enfant, ami ou amant. Mais parfois le même amour, la même qualité d'amour trouve l'occasion de se poser, de s'approfondir sur plusieurs personnes successivement.

Les **handicapés du donner** restent enfermés à mi-chemin.

Bernard se comporte généralement de manière tonitruante, content de sa carrière de cadre, de sa jolie femme et de ses trois beaux enfants. Pourtant, derrière cette façade, il promène un grand désarroi. Sa femme veut le quitter et lui répète qu'il ne sait pas aimer. Jusqu'à présent, il n'a pas vraiment compris ce qu'elle pouvait bien vouloir dire. Il se plaint amèrement : « J'ai tout fait pour elle et ma famille, et en remerciement elle me fait souffrir. » Pas une seconde il ne semble penser que sa femme agit en fonction de ses besoins personnels et non par rapport à lui. Il raconte que récemment en rentrant du bureau il l'a trouvée très sexy dans sa petite jupe, penchée en avant pour ramasser un objet. Il l'a prise dans ses bras, l'a déshabillée malgré ses protestations ; elle a fini par cesser de se débattre et il l'a pénétrée. Il ajoute que cela n'a duré que quelques secondes mais que c'était très bon. « Mais c'est du viol conjugal », a répondu son interlocuteur. À ce moment, le ciel est tombé sur la tête de Bernard, une prise de conscience si intense, si terrible qu'il est devenu blême et que son visage a commencé à se couvrir de larmes. Comment ai-je pu faire ça ? Comment ai-je pu me comporter ainsi avec la femme que j'aime ? Il passait en quelques instants du ton provocant à l'autocritique minée de culpabilité. « Ma femme a raison quand elle dit que je ne sais pas aimer, que je ne la respecte pas, que je n'écoute pas mes sentiments, que je dois grandir affective-ment. »

Bernard se comporte dans son couple comme un enfant. Sa manière d'aimer, c'est de se donner tous les droits, sans chercher le partage et la communica-tion, sans prendre le risque de rencontrer le désir et surtout le refus de l'autre. Il vit dans une toute-puis-sance infantile. Pour changer, il lui faudra du temps, de l'attention mais aussi une partenaire qui refuse d'entrer dans son jeu et prenne le risque de l'af-fronter.

Pierre est un beau garçon de vingt-deux ans, il ren-contre beaucoup de succès féminins, mais ses expé-riences sexuelles sont brèves et décevantes. Il collectionne les rencontres et se sent toujours un peu plus triste. Il dit qu'il est incapable d'aimer une femme. En réalité, il fait en sorte qu'aucune femme ne puisse l'aimer. Il est prisonnier de sa propre soli-tude et de son mauvais amour de lui-même. Il « exé-cute affectivement » toute femme qui s'approche trop près de lui. Il la blesse en lui montrant ostensiblement qu'il s'intéresse à une autre fille. Il a peur de donner, et il s'arrange pour ne pas recevoir. Quand on regarde ce qui s'est passé avec sa mère, on s'aperçoit qu'elle l'a toujours accablé de récriminations et d'exi-gences et qu'il a pris l'habitude d'accuser son comportement d'être la source de tous ses maux. En s'apitoyant sur son sort, il échappe à son désir de changer et à l'effort que lui demande cette attitude. Il se rend compte que son comportement est infantile et inadapté mais il continue de l'adopter. L'accusation de l'autre est toujours un réflexe de facilité. Dans ses relations avec les femmes il tente de reproduire le même scénario de victime en les acculant à lui faire des reproches. La prise de conscience de son scénario répétitif lui permet, avec un soutien suivi, de commencer d'autres scénarios plus proches de son désir d'amour.

Adeline réussit très bien sur le plan professionnel. Mais sa vie affective et sexuelle est un désert. Même si elle laisse beaucoup d'hommes lui faire la cour et entrer dans son lit, elle ne ressent pas grand-chose et se considère comme incapable de construire une relation durable. Elle s'est persuadée comme beaucoup d'autres femmes brillantes qu'elle fait peur aux hommes. Mais elle est surtout une petite fille qui se dévalorise constamment parce qu'elle se juge frigide et incapable de vivre un échange satisfaisant sur le plan sexuel. Sa peur de s'abandonner, sa peur de montrer sa vulnérabilité, son désir de tout contrôler dans son apparence physique comme dans ses sentiments sont au cœur de sa difficulté à rencontrer un homme. Elle vit une existence au masculin. Pour « descendre » dans sa féminité, elle devra trouver de l'aide chez une autre femme qui la conduira à accepter cette féminité comme une richesse.

Beaucoup d'hommes et de femmes se réfugient dans la séduction pour connaître les premières émotions de l'amour et ne pas s'engager dans une relation à long terme. Ils répondent ainsi à leur goût du pouvoir et de la manipulation. Ils vérifient qu'ils peuvent plaire et ils ressentent un afflux d'énergie au moment de la rencontre. Ils remplissent un vide, une demande de confirmation de leur valeur, de leur beauté, ils captent l'attention, l'intérêt de l'autre et ils se sentent momentanément remplis. Mais le procédé ne tarde pas à montrer ses limites. C'est par leur effort de séduction que l'autre est venu à eux et ils ne peuvent pas s'illusionner longtemps. La conquête est stimulante, ensuite ils ignorent les règles du jeu et ne s'intéressent pas au risque d'être perdant. Ils n'ont pas généralement une très bonne opinion d'eux et ils ne tiennent pas à être découverts. Ils sont persuadés qu'on ne saurait les aimer tels qu'ils sont mais seulement tels qu'ils se montrent à travers un personnage brillamment composé. En toute personne il reste un peu de ce mécanisme mais il est plus ou moins accentué selon la conscience qu'on en a.

Une version particulièrement élaborée du phénomène vient de ceux qui ont acquis des connaissances psychologiques ou énergétiques. Ils se considèrent parfois à tort ou à raison comme informés, cultivés ou même initiés. C'est là que la catastrophe commence. Le « prêtre amant ou la prêtresse amante », l'homme et la femme qui ont conscience de l'énergie et qui peuvent communiquer à leur partenaire des sensations nouvelles sont conscients qu'ils accèdent à un grand raffinement dans leur manière d'aimer. Quand ils rencontrent quelqu'un, ils lui ouvrent les portes d'un art d'aimer jusque-là inconnu et cette expérience est comme un cadeau. Mais ils sont placés sur un piédestal, la personne s'attache à eux alors que bien souvent ils ne sont pas engagés émotivement. Trop souvent l'amour du pouvoir ternira le pouvoir de l'amour de telles rencontres. Le prêtre amant ou sa version féminine touchent bien une fonction sacrée mais trop souvent ils ne sont pas assez épurés au niveau de l'ego pour transmettre sans satelliser et sans capter l'âme de l'autre.

Les thérapeutes hommes sont trop souvent touchés par ce niveau de comportement ; leur position leur assure une très grande demande féminine. Ils savent qu'ils peuvent apporter aux femmes qu'ils rencontrent et qu'ils désirent une forme de révélation dans l'amour physique notamment dans la douceur, la lenteur de l'approche. Mais, en même temps, ils déclenchent des sentiments intenses, des mélanges et des superpositions avec l'image paternelle, des confusions d'inceste qui provoquent des dégâts considérables dans des psychés fragiles. L'acte thérapeutique repose toujours sur un échange d'amour. Mais, lorsque le sexe y est mêlé, les choses sont rendues très difficiles. Dans l'état actuel de notre conscience collective, le sexe est marqué d'interdits, de tabous, d'archaïsmes qui lui permettent rarement d'être vécu de manière rituelle et initiatique.

Comment sortir de la peur d'aimer et comment aimer sans se perdre ?

C'est une immense question. Toutes les psychothérapies s'efforcent d'y répondre et tous les êtres humains s'appliquent dans l'école de vie à trouver une voie qui leur convient. La pratique de l'amour est une ascèse qui n'évite pas toujours la souffrance. Et c'est peut-être cette souffrance qu'il convient d'abord d'apprivoiser. Cette identité, *je suis une personne qui souffre d'amour,* met en fuite tous ceux qui préfèrent être anesthésiés par la nourriture, la télévision, le travail, le sexe.

Il y a pourtant beaucoup d'intensité et de richesse dans cette brûlure acceptée. Il n'est pas honteux d'être celui qui a mal, qui se blesse avec l'éloignement de l'autre. Notre héritage d'humanité trouve là l'occasion de s'approfondir. Sans exalter les vertus de la souffrance, nous pouvons chercher à lire la promesse d'évolution qu'elle contient. Toutes les choses ayant deux faces, soit nous nous abîmons au propre et au figuré dans cette souffrance, soit nous la transformons. En contactant cette force de retournement créative, nous savons aussi que nous pouvons nous ouvrir, nous laisser toucher. Nous sommes très inégaux dans notre capacité à aimer comme dans notre capacité à prendre des risques. Peut-être la richesse d'une vie se mesure-t-elle à sa capacité à aimer. L'infirmité du cœur est une maladie plus répandue qu'il ne semble.

Il est intéressant de constater que dans le processus d'évolution, la plupart des personnes sont rattrapées par le goût du pouvoir. Si on considère l'évolution sous la forme de naissance, il y a **trois naissances : une naissance physique, une naissance psychique et une naissance spirituelle**. La deuxième correspond à l'affirmation de soi et prend souvent toute une vie. La troisième concerne le dépassement de l'ego. Comprendre ce que signifie le dépassement de l'ego demande d'être arrivé à ce carrefour. Cette phrase sera lue vingt fois et elle ne passera pas dans la pratique. Des personnes cultivées, créatives, appréciées, peuvent très bien tourner sans fin autour de leur pouvoir d'affirmation de soi et rester sur le bord de leur cœur. La naissance énergétique demande un abandon qui n'a rien de masculin. Entre l'abandon et la maîtrise, entre suivre le courant et diriger la barque, se situe au milieu la grâce d'aimer. C'est par l'alternance et l'apprentissage de ces pôles que le miracle se produit. Comme on l'a vu déjà, il arrive souvent par effraction car nous ne le laisserions pas parvenir jusqu'à nous consciemment. L'attirance, le coup de foudre, le saisissement intime viennent nous chercher dans notre confort et nous bousculent pour que nous puissions goûter à un autre plaisir que le pouvoir, le plaisir d'aimer. L'apprentissage est souvent de trop courte durée pour nous permettre de faire le passage entre l'ego et le cœur. Mais plus la passion est forte, authentique, plus elle a de chance de nous solliciter dans l'humilité, l'humidité de nous-mêmes.

La chance de l'amour se joue dans l'existence de deux autres pôles qui ont déjà été effleurés au passage. « Tu m'aimes » et « je t'aime » se répondent dans le déséquilibre. Nous allons voir que « je m'aime » et « je suis amour » sont les deux autres pôles qui sont en déficit dans la demande assoiffée d'amour ou la peur d'aimer, dans le refus de donner ou le don sacrificiel. Actuellement, rien dans notre éducation ne nous permet de développer suffisamment ces pôles du « je m'aime » et « je suis amour ».

La sexualité de « je t'aime »
ou la sexualité du donner

« Je te donne du plaisir. » La femme passive offre son corps, par-devant ou par-derrière, par le sexe ou par l'anus, et l'homme est invité à se masturber dans le vagin de la femme. L'épouse docile accomplit cet acte comme un devoir qui n'est ni agréable ni désagréable.

L'épouse résignée ronge son frein en silence, offre son sexe, refuse sa bouche et toutes les manifestations de tendresse. La femme frigide guette en elle les moindres tressaillements de chair et tente de s'identifier au plaisir de son partenaire. Autrefois, les femmes « honnêtes » étaient censées ne pas avoir de jouissance même dans le lit conjugal. La mode culturelle était de taire son plaisir tout comme aujourd'hui elle est de manifester plus de choses que ce que parfois on éprouve. Il reste une trace de ce singulier mutisme. Les femmes les plus soumises ont tendance à jouir plus du plaisir qu'elles donnent à l'homme que de leurs propres sensations. C'est ainsi que certaines femmes mariées ne découvrent leur plaisir que tardivement et grâce à un amant.

L'homme grossier prend son plaisir sans se préoccuper de sa compagne, mais l'homme raffiné, évolué, mettra son point d'honneur à donner du plaisir à la femme. Il apprendra de plus en plus à retenir volontairement son éjaculation pour que l'acte sexuel dure plus longtemps. Il permet ainsi à la femme d'atteindre un ou plusieurs orgasmes. Certaines femmes disent qu'après une première jouissance, elles ne sont plus présentes, elles n'ont plus de désir et elles éprouvent même une certaine impatience si l'acte sexuel dure trop longtemps. Les plus initiées ne vont pas hésiter à provoquer alors la jouissance de leur partenaire. Dans ce cas, la femme peut apprendre à ne pas jouir trop vite pour que le plaisir pendant la relation prenne plus d'intensité. Il arrive aussi que certaines femmes enchaînent plusieurs orgasmes avec facilité et sans lassitude.

Lorsque l'homme et la femme ont du désir l'un pour l'autre et savent comment rencontrer le plaisir l'un avec l'autre, l'un des deux se consacre à provoquer, amplifier, écouter le plaisir de l'autre. En concentrant son énergie sur son partenaire, en le caressant, en le massant dans certaines zones plus sensibles, il sollicite sa montée énergétique et lui propose de se mettre exclusivement à l'écoute de ses sensations sans se préoccuper de rendre les caresses qu'il donne. Il y a un grand plaisir à être ainsi le musicien qui joue sur le corps de l'autre un certain nombre de partitions. Les chants de la jouissance peuvent être très variés. Celui qui donne et provoque les sensations s'identifie plus ou moins à celui qui reçoit et il communie dans l'intensité qu'il déclenche.

En te donnant du plaisir j'ai une sensation de pouvoir, j'ai la griserie du créateur, de l'artiste mais je participe aussi de l'intérieur, je vis comme l'écho de tes sensations et cela me comble.

Lorsque les deux partenaires arrivent ensemble à l'orgasme, ils ont un sentiment de communion. Soit cette simultanéité est spontanée, soit elle est conduite avec art. Remarquons que, dans l'amour, à la fois nous pouvons conduire et nous sommes conduits, nous contrôlons et nous lâchons prise et, juste au milieu de cette tension-relâchement, se situe en nous le point de l'extase. Plus un partenaire est raffiné, plus il a du plaisir à donner l'amour, plus il se fait artiste des sensations.

Pour un homme, donner de l'amour à une femme, c'est lui offrir son attention, son écoute, sa présence, son soutien affectif et parfois financier mais aussi, pendant l'amour, pouvoir retenir sa pulsion orgasmique, cultiver l'art des caresses, pratiquer une rétention, faire durer la rencontre. Remarquons combien cette rétention représente un changement de coordonnés entre l'homme et la femme.

Dans les peurs masculines on retrouve souvent exprimés l'insatiable appétit sexuel de la femme et l'angoisse masculine de ne pouvoir répondre à cette demande sans fond. Comme s'il restait trace en chaque homme d'une disproportion entre la taille de son sexe de petit garçon et celui de la Mère, de la Grande Mère. Lorsque l'homme contient son éjaculation, cette dissymétrie cesse d'elle-même. Souvent aussi on entend des hommes exprimer leur jalousie vis-à-vis de la femme parce qu'ils ont l'impression que leur propre jouissance est bien moins forte, bien moins totale. Au fur et à mesure que leur système énergétique s'affine, les hommes découvrent qu'ils ont accès à des orgasmes sans émission de sperme, que leur cerveau est concerné bien autant que leur sexe et que les femmes n'ont pas le privilège d'une sexualité dite plus cosmique.

Comment les hommes parviennent-ils à cette rétention ? Il y a de nombreuses techniques dont le détail ne sera pas abordé ici. Elles sont sans doute partiellement utiles mais, au-delà des techniques, la rétention est un état d'esprit, une manière de se penser et de vivre, de se contrôler sans violence, de respirer sans se couper du ressentir, de jouer avec ses sensations, donc d'en accepter et d'en explorer l'existence. D'ailleurs la femme qui veut rester longtemps pleinement présente à son partenaire adoptera la même attitude, laissant monter l'acmé et la retenant à la dernière minute.

« Je me donne à toi », cette phrase est plus particulièrement féminine comme si l'homme restait toujours plus ou moins le prédateur et la femme la victime sacrificielle. « Je te prends », dit l'homme. L'acte sexuel retraduit de manière incontournable la symbolique de la coupe et de l'épée. La femme reçoit dans son ventre un sexe dur qui la pénètre, qui perfore sa virginité. Il y a de la jouissance dans cet aspect animal, primitif, de la pénétration par-devant ou par-derrière, obéissant à l'instinct de fécondation. Ce n'est que secondairement que l'homme acceptera de se laisser chevaucher par la femme qui lui fait l'amour pendant qu'il reste plus passif dans ses mouvements. La femme qui danse sur le sexe de l'homme lui donne du plaisir mais souvent aussi se donne à elle-même du plaisir parce que son clitoris se trouve en position de frottement. Il s'agit beaucoup plus que d'un changement de position. En chevauchant l'homme, la femme sollicite sa virilité intérieure et l'homme qui la reçoit contacte sa féminité intérieure. Le couple passe d'une sexualité de reproduction à une sexualité de conscience.

CHAPITRE III

Je m'aime donc j'existe
J'écoute

Je ne m'aime pas

C'est un leitmotiv mais rarement avoué et rarement assumé : « Je ne m'aime pas et je n'ai pas confiance en moi. »

90 % des gens vivent avec ce handicap qui les amène à faire des nœuds en permanence dans leurs relations. Le mal est si profond qu'il rencontre un désintérêt, pour ne pas dire un dégoût, de la part des intellectuels de tout bord. Toute personne un peu cultivée est censée faire la moue : s'aimer soi-même, qu'est-ce que c'est que cette tarte à la crème new age ? Bien entendu, cette personne se sert de toute sa brillante culture comme d'un masque pour cacher qu'elle se déteste parce qu'elle est grosse et journaliste alors qu'elle souhaiterait être mince et écrivain. Elle vous dira qu'elle s'accepte comme elle est, mais ce n'est qu'un vernis. Quand on gratte un peu, on rencontre une couche de désespérance et de mépris de soi qui alimente son mépris cinglant si célèbre dans ses chroniques.

Je n'aime pas mon corps. Je n'aime pas le fait d'être un

*homme ou d'être une femme, je souhaiterais être d'un autre
sexe que le mien.*

Bien des enfants expriment ce refus en réponse
parfois au désir, exprimé ou non, des parents. « Nous
voulions une fille. » C'est un garçon, mais doux, gentil, féminin avec sa mère, et qui se sent bien plus à
l'aise dans la compagnie des filles que dans celle des
garçons. Plus tard, c'est le même qui deviendra homo-
sexuel ou qui poussera si loin l'apaisement de sa
frustration qu'il subira une opération, deviendra
transsexuel et changera d'identité. Une énergie
considérable est ainsi dépensée pour avoir le droit de
choisir son sexe, pour permettre que l'extérieur cor-
responde à l'intérieur.

*Je n'aime pas mon nez. Mes jambes sont trop courtes, mes
cheveux trop fins, mes dents irrégulières. Je suis trop petite
ou trop grande. Je ne suis pas beau, pas belle. Je souffre d'un
complexe. Je ne supporte pas que quelqu'un me regarde. Je
pense qu'il ne voit que mes défauts.*

Les femmes surtout cultivent une détresse par rapport à leur physique. Le standard propagé par les
magazines et la télévision met la barre très haut et la
comparaison est souvent insoutenable.

*Comment être cette femme au teint éclatant, à l'éternelle
jeunesse, à la minceur de sylphe ? Comment avoir cette classe,
cette assurance, ce sourire irrésistible, ce tailleur impeccable.
Je ne suis qu'une cendrillon et nulle marraine magique ne
me transformera jamais en fée ou en princesse. À l'intérieur,
oui, je me sens un papillon aux chatoyantes couleurs mais,
à l'extérieur, je me traîne comme une larve.*

Ce jugement sévère sur soi affecte même les très
jolies filles. Un regard du matin sur le miroir, un bou-
ton, et la journée est gâchée. Si je suis laide, rien n'est
possible. Cette croyance est profondément ancrée

dans les esprits féminins, elle fait partie de l'aliénation que leur propose la conscience collective. Pour les hommes, la pression sur le physique est un peu moins forte. Le complexe se déplacera sur la capacité à entrer en relation, les résultats sportifs ou scolaires, l'habileté dans les activités ou dans les jeux. L'éducation pendant longtemps a été basée sur le reproche, l'accusation, la mise en évidence des imperfections. Parents, professeurs et éducateurs étaient censés faire peser sur les enfants un regard de réprobation constant pour les amener à se dépasser et à toujours faire mieux. Les enfants sont dressés pour devenir de bons coursiers devant les sauts d'obstacles de la vie. Pour recevoir l'approbation des maîtres du moment, beaucoup d'enfants vont faire de leur mieux avec l'impression qu'il est difficile d'être toujours du bon côté. Beaucoup aussi seront rétifs et tenteront de suivre leurs goûts, leurs désirs, même en s'opposant à l'autorité régnante. Ils n'échapperont pas pour autant au laminage du mauvais amour de soi. Les révoltés, les marginaux, contrairement à ce qu'on pourrait croire, sont ceux qui se sensibiliseront le plus au manque de confiance en soi. L'intégration dans la société enracine, donne une place peut-être banale mais rassurante. La non-intégration témoigne d'abord d'une vitalité individuelle mais finit par grignoter et affaiblir la personne. « Je suis le canard noir de la famille de canards blancs, pire encore d'une famille de cygnes blancs », ou encore : « Je suis le cygne blanc d'une famille de canards blancs. » Cette phrase prononcée avec humour est pourtant chargée de douleur.

Je ne m'aime pas parce que j'ai manqué d'amour et que j'en manque toujours.

On a vu dans le premier chapitre que ce déficit

d'amour était à la base d'un comportement de victime quémandeuse et d'enfant gâté.

J'ai droit à l'amour. Quand on me donnera ce que je demande je me sentirai mieux. Il y a dans cette situation le principe d'un cercle vicieux. Plus je demande et moins je sais recevoir, plus je demande et moins je permets à l'élan de l'autre de venir vers moi, et plus je m'enfonce dans la conviction que personne ne m'aime et personne ne m'aime, car il n'y a rien en moi qui justifie cet amour...

Le mauvais amour de soi entraîne tous les comportements de décentrage, l'amour égoïste, l'amour prison, l'amour cannibale. Nous arrivons à cette conclusion relativement récente dans l'humanité : il n'est pas possible d'aimer quelqu'un véritablement sans s'aimer soi-même. Le message du Christ était fondamental, révolutionnaire : « Aimez-vous les uns les autres et aimez votre prochain comme vous-même. » Mais depuis deux mille ans les hommes qui tentent d'incarner ce message se heurtent à un obstacle fondamental, ils n'ont pas appris à s'apprécier eux-mêmes, ils ne savent pas qui ils sont et, pris dans la dualité bien/mal, ils n'ont pas trouvé d'autres moyens que d'accuser l'autre, de faire de lui le bouc émissaire de ce qui ne va pas en eux. Ce tour de passe-passe est devenu une règle acceptée de communication alors qu'il est un instrument d'oppression, d'exploitation de l'autre, de prise de pouvoir sur l'autre. C'est à qui en usera le premier. C'est à qui aura raison le premier, le second héritant du tort. Action et réaction. La tension dégénère en conflit. Thanatos l'emporte sur Éros. **Notre civilisation est encore complètement empoisonnée par la peur d'être la mauvaise personne et le mécanisme de détournement de l'ombre sur l'autre.** Je ne connais pas ma propre ombre, je ne l'accepte pas, je la fais porter au voisin. Obstinément, indirectement, le jeu de ma conscience tente de me montrer ce que je ne comprends pas en direct. Et si je suis averti, ma projection négative sur autrui me sert en effet à reconnaître une partie de moi.

« Qu'est-ce qu'ils sont bourgeois, ces gens-là ! »

Par ce jugement, je pense parler sur eux mais en réalité je m'explique à moi-même que je suis concernée par ce comportement, que je me refuse à l'adopter mais qu'en même temps il me fascine en tant que signe de pouvoir. Je me sens peut-être en dessous ou au-dessus de cette appartenance de classe.

Je ne m'aime pas a pour équivalence Je ne me connais pas, je n'ai pas de contact avec mon essence, avec mon soi, avec mon centre et je n'approuve pas mes périphéries, tous les masques de mes personnages. J'ai honte de moi, je me juge sévèrement, je suis incapable de...

Si je ne m'aime pas je ne peux pas vraiment croire qu'on m'aime, j'ai toujours besoin de preuves d'amour.

La personne qui ne s'aime pas pose souvent la question : « Est-ce que tu m'aimes ? » Comme on dit que les femmes sont principalement celles qui posent cette question, il faut croire qu'elles sont tout particulièrement atteintes de mésestime de soi. Comment s'en étonner quand on voit les critères de beauté proposées et quand on connaît le fond d'infériorisation et de culpabilité qui pèse sur le personnage d'Ève.

Si je ne m'aime pas j'ai peur d'être rejeté et je ne supporte pas la comparaison avec les autres.

Quelqu'un qui doute de sa valeur est aussi quelqu'un qui tente parfois de se mettre en avant, de paraître mieux que les autres tout en cultivant la peur qu'on ne découvre qui il est vraiment. Il se pense indigne d'amour et il tente d'acheter l'amour en offrant son aide ou son argent. Les femmes qui se dévouaient corps et âme à leurs familles étaient souvent menées à l'intérieur d'elles par cette croyance que, sans ce dévouement, personne ne les aimerait. Mais c'est souvent l'inverse qui se produit ; les personnes qui en font trop ne laissent pas aux autres assez d'espace et de liberté pour les aimer librement. Elles font fuir l'amour parce que les autres se sentent manipulés et elles sont alors renforcées dans leur conviction que personne ne les aime, qu'elles ne sont pas intrinsèquement aimables.

Dans la longue naissance individuelle, l'affirmation de soi, le développement de la créativité constituent une étape importante. Cette réalisation ne peut pas s'engager sans commencer par rencontrer l'amour de soi.

Narcisse et l'obsédé

Qui dit amour de soi dans l'acception populaire dit souvent narcissisme et nombrilisme. Narcisse est celui qui se mirant dans l'eau devient amoureux de sa propre image... et finit par tomber dans l'eau en voulant fusionner avec son reflet. Celui qui s'attache à la perfection physique de son corps peut devenir un obsédé de la forme, du régime, de la gymnastique, des vêtements et des soins de toutes sortes. Un certain nombre d'hommes et de femmes ont trouvé refuge dans cette obsession. Ils se sont accrochés à un standard de perfection et ils poursuivent obstinément leur programme. La boucle s'est refermée sur elle-même. Ces femmes parfaitement maquillées et tirées à quatre épingles ne savent plus pourquoi elles multiplient les soins autour de leur apparence. Elles n'ont plus ni le temps, ni le goût de rencontrer qui que ce soit. Il ne s'agit pas de séduire quelqu'un ou de rencontrer l'amour. Il leur faut seulement se supporter, ne pas se décevoir quand elles se regardent dans le miroir. Comme des champions de haut niveau, elles élèvent l'exigence mais elles ont perdu de vue le but. Comme ces personnes qui vivent seules et qui entretiennent leur appartement dans un état de propreté et de rangement impeccables. Elles se martyrisent par un labeur incessant et n'attendent jamais personne.

Parfois ainsi, ce désir légitime de prendre soin de sa santé, de sa forme et de sa beauté dégénère en une accumulation de gestes maniaques qui isolent la personne par la complexité qu'ils mettent dans sa vie quotidienne.

La même attention maniaque se retrouve parfois dans des emplois sclérosés ou avec des personnes dont l'horizon se limite à leur activité. Une seule chose les intéresse : parler d'eux ou faire parler d'eux, montrer ce qu'ils ont fait ou ce qu'ils vont faire, être le centre du monde et que les autres tournent autour d'eux. Les gens qui ont beaucoup de pouvoir, financier, politique ou artistique, ceux qui sont connus ou qui occupent des positions élevées ont tendance naturellement à demander aux autres de se mettre à leur service. D'une certaine manière, ils nourrissent leur pouvoir de l'acceptation des autres d'être satellisés. L'enflure de l'ego se développe beaucoup dans des situations de ce type.

Une personne égocentrique ramène tout à elle-même, que ce soit pour chercher satisfaction ou pour se plaindre. Elle trouve naturel d'utiliser toutes les personnes qui l'approchent. Mais souvent aussi elle aura l'impression d'avoir été ou d'être la seule à souffrir. « Personne ne sait ce que je souffre », « Ça n'arrive qu'à moi », « Les autres ont toujours plus de chance que moi. » Chaque fois que nous voulons que les autres changent en fonction de nos besoins, de nos désirs, nous manifestons notre égocentrisme.

La morale chrétienne fustige beaucoup l'égoisme et exalte le dévouement aux autres. L'égoisme est pourtant une dimension qui a besoin en un certain sens d'être réhabilitée sous la forme d'un temps de contact avec soi. Il est bon d'avoir l'égoisme de s'accorder un temps de promenade, un temps pour prendre un bain, pour méditer, pour lire les livres souhaités, bref de se faire du bien, de se cultiver, de se détendre et non pas de vouloir à tout prix donner aux autres. L'altruisme cache parfois une fuite de son intériorité et de sa solitude, un oubli de soi.

Par contre, l'égoisme compris comme un refus de s'intéresser au bien-être des autres, se révèle destructeur pour l'égoiste lui-même. La consommation à outrance de films, de spectacles, de musiques aboutit à l'inverse de ce qui était recherché. La distraction ne cultive pas, elle distrait de soi et, comme telle, elle vide de toute substance. Tout ce qui coupe, isole, emmure, tout ce qui referme sur soi manifeste non pas un amour de soi mais une haine non reconnue.

Certains éducateurs sont inquiets aujourd'hui à l'égard d'une jeunesse qui regarde le monde extérieur uniquement sous l'angle du profit qu'elle en tire. Affectée de nombrilisme, cette jeunesse juge de chacun et de chaque chose en fonction de ses seuls besoins. Il y aurait là fondamentalement une incapacité à aimer. En réalité, le phénomène est ambivalent. L'amour de soi et l'égoïsme cohabitent. Mais autant l'amour de soi peut être vécu comme une ouverture, autant l'égoïsme sera fondamentalement une fermeture. Le repli narcissique montre non seulement l'incapacité à aimer l'autre mais aussi l'incapacité à s'aimer soi-même. L'attention excessive que l'on se porte ne fait que tenter de dissimuler un échec à se satisfaire réellement.

Dans le même sens, les personnes qui vivent seulement pour les autres se sentent souvent insatisfaites et malheureuses dans leur relation intime. Sous des apparences de dévouement se cachent une hostilité envers la vie et une manière subtile de tout ramener à soi. Les enfants de ces mères trop dévouées se retrouvent dans une situation semblable à ceux dont la mère est égoïste, ils sont anxieux et tendus dans le souci de la satisfaire, et ils ne peuvent même pas la critiquer. Seule une mère qui s'aime elle-même transmet un message de joie de vivre et d'amour à ses enfants.

Habiter son corps

L'une des premières prises de conscience de l'amour de soi passe par la manière d'être présent à la vie de son corps. Il y a une différence considérable entre respirer de manière automatique et respirer consciemment. Dès que quelqu'un accepte cette idée que respirer consciemment, ne serait-ce que quelques minutes par jour, est une hygiène de soi, il commence aussi à se transformer. Le trajet de l'air que nous inspirons puis que nous expirons est le symbole même de la vie qui est en nous. La respiration est centrale à la fois par son importance et par le fait qu'elle se situe dans le milieu du corps. Elle nous invite à la voie du milieu.

La respiration consciente procure un apaisement de plus en plus immédiat quand la pratique est quotidienne. Fermer les yeux et respirer permet un retour sur soi, un ressourcement d'énergie vitale : c'est comme une douche intérieure, une manière de nettoyer et de déplisser tout ce qui a pu être froissé par le stress ou l'activité trop intense. Une sensation légère d'expansion prolonge ce bienfait. Comme si notre corps psychique devenait plus vaste que notre corps physique. L'état de conscience se modifie, devient plus sensible au bien-être d'exister. Le lien entre le corps et l'esprit est alors perçu.

Le bien-être avec soi passe par le bien-être du corps. Nous vivons trop crispés, trop tendus vers un futur qui nous inquiète toujours plus parce que nous le surchargeons d'activités. Très peu de personnes savent vivre au présent et c'est pourtant ce présent plein qui contient l'unité et la réconciliation. Tant que nous courons en avant, nous ne profitons de rien, nous tentons seulement et désespérément de calmer notre peur du vide. Pour qui s'intéresse à la sagesse, le corps est le maître par excellence. S'accorder un bien-être cellulaire permet d'entrer en contact avec sa lenteur, sa paix, son sens de l'instant et du bonheur. L'eau est un milieu privilégié, lieu originel de la vie, lieu de ressourcement par excellence.

Aussi simple que soit l'expression de la présence à son corps, la pratique n'en est pas moins difficile à acquérir. Toute notre éducation tend à valoriser l'esprit au détriment du corps et la tentation est grande de vouloir planer en tant que pur esprit. Je fume et je bois à outrance. Je mange trop. Je malmène ce corps, je l'emmène à vive allure sans lui laisser le temps de récupérer. En défiant les lois de cette chair, je me prends pour un dieu qui agit selon son bon plaisir. Mais je suis toujours rattrapé par mes erreurs et c'est ainsi qu'éventuellement j'apprends. Quand on a été élevé dans un milieu où la nourriture tenait une grande place il n'est pas facile de se restreindre. On sait avec sa tête qu'une nourriture trop sucrée ou trop grasse mine jour après jour une santé de base et on continue malgré tout ; tout se passe comme si nous étions tellement attachés à l'idée infantile de notre toute-puissance que nous voulons toujours défier les lois de la vie. Paradoxalement, c'est pourtant en les respectant qu'on découvre les plus grands plaisirs, y compris ceux de la table. Quand un organisme n'est pas encrassé, le plaisir qui lui vient de sa faim puis de la satisfaction de cette faim est très grand. Par contre un corps trop nourri n'aura qu'une petite excitation passagère à l'arrivée de la nourriture, suivie d'une gloutonnerie rapide et comme anesthésiée.

Choisir de bons légumes et de bons fruits, faire des salades avec de l'huile de première pression et des citrons, manger du pain de qualité, graisser peu, sucrer peu, mâcher longuement de petites quantités, faire pousser des germes, choisir des viandes non grasses, etc. Au-delà du temps et de l'argent qui sont toujours invoqués comme excuse, c'est d'une attitude d'esprit qu'il s'agit. Beaucoup de personnes dépensent une énergie considérable à préparer certains plats qu'elles digéreront difficilement et qui continueront à creuser leur déficit de santé. L'éducation du plaisir de la table en direction de la santé devrait se faire très jeune. Lorsque les mauvaises habitudes alimentaires sont associées à des situations affectives, il est très difficile de les déloger.

Il y a une différence importante entre quelqu'un qui fait du yoga, ou de la gymnastique, ou de la danse, ou un sport, et quelqu'un qui n'utilise son corps et ses muscles que pour ses besoins de déplacement ou ses rencontres amoureuses. Se mettre à l'écoute de son corps, l'exercer de manière ludique, prendre plaisir à faire monter son régime, à s'essouffler, à accélérer sa respiration, à rencontrer ses limites et sa fatigue, c'est souvent se donner l'occasion d'être plein de joie de vivre.

Nous réalisons peu quelle intimité il y a entre nous et les aliments et à quel point la manière dont nous mangeons conditionne aussi notre manière de pensée. Un peu caricaturalement, nous pourrions dire que le buveur de bière aura une pensée plus lourde que le buveur d'eau claire. Le corps est un fidèle compagnon quand on le traite bien, quand on lui donne l'occasion de ses aises.

S'aimer soi-même passe par le fait d'adopter une attitude de collaboration avec la vie. Si je sers Éros, je fais tout pour accroître le vivant en moi. Si je suis dans une complicité avec la destruction, je me précipite dans les occasions de me défier, de m'user, de me surmener.

Rencontrer son complémentaire intérieur

*Qui suis-je ? Mon sexe me définit. Je suis une femme comme maman ou je suis un homme comme papa. Et précisément pour être moi, je souhaite aussi me différencier du parent du même sexe. Je suis unique. Personne sur terre ne rassemblera jamais les caractéristiques qui sont les miennes. Ce sentiment d'être unique apporte avec lui un droit de pensée : **personne ne sait mieux que moi ce qui est bon pour moi.** Étant enfant, j'ai cru longtemps – et cette croyance peut se prolonger dans l'âge adulte – que mes parents savaient pour moi et quand ils me disaient : « c'est pour ton bien » qu'aurais-je pu répliquer ? Aujourd'hui je suis la seule à pouvoir aller jusqu'au bout de moi-même, à devenir qui je suis. Cette liberté et cette responsabilité sont exaltantes. En leur nom j'ai le droit de résister à toutes les tentatives d'exploitation, d'englobement, d'écrasement, de manipulation.*

La capacité d'extase inhérente à tout être humain est une source qui se dessèche et se tarit dès les premières années de la vie dans bien des cas. Tout l'effort de l'adulte consistera entre autres à la retrouver. La sexualité est le domaine qui paraît le plus accessible au grand nombre. Pendant l'orgasme, la capacité d'extase s'exprime plus ou moins fugitivement. La rencontre de deux personnes permet parfois de faire jaillir cette étincelle. Est-il possible de retrouver le même état en dehors de l'acte sexuel ? Depuis des millénaires il semble que l'humain se pose cette question et on pourrait dire que les religions sont des tentatives pour créer les conditions de l'extase dans un autre contexte.

La compréhenion que nous avons actuellement du

fonctionnement humain nous invite à rechercher l'extase à l'intérieur de soi, dans son couple intérieur. Jung a commencé d'exprimer en termes d'animus et d'anima quelque chose de fondamental. Nous sommes très loin d'avoir tiré toutes les conséquences d'une telle formulation. En chaque femme, il y a un homme intérieur qui demande à se développer et à être reconnu. En chaque homme, il y a une femme intérieure en croissance. Le trajet de complétude de chacun d'entre nous passe par cette rencontre personnelle entre une dimension féminine et une dimension masculine. Ce couple intérieur peut être dans un état fusionnel indifférencié, ou patriarcal avec une domination du masculin sur le féminin, ou conflictuel, ou lunaire avec une domination du féminin sur le masculin, ou androgyne avec une alliance entre les deux.

Jusqu'à présent, le couple intérieur et le couple extérieur de chacun des deux partenaires se répondaient en toute inconscience. C'était le couple extérieur qui était chargé d'une certaine manière de faire avancer le couple intérieur de chacun. Et il échouait bien souvent avec son cortège de souffrances et de destructions.

Aujourd'hui, nous sommes invités à faire connaissance avec notre couple intérieur de manière à jouer notre couple extérieur avec plus de connaissances.

Il ne semble pas possible de parler d'amour de soi sans évoquer les deux composantes masculines et féminines.

Si je suis une femme fine et aimante, comment se comporte mon masculin ? Il est peut-être particulièrement impérieux, tyrannique même, dur aussi. S'il tyrannise la femme que je suis, mon couple intérieur est de type patriarcal. Si je suis attirée par un homme, il est probable que sa structure sera assez proche de celle de mon masculin intérieur. À moins que déjà il ne soit plus doux, plus féminin et qu'il ne préfigure ma nouvelle évolution. Nous nous choisissons en fonction de ce que nous voulons nous révéler à nous-mêmes ou en fonction de ce que nous voulons devenir. Si j'ai été attirée par un homme dominant, inévitablement je vais entrer en conflit avec lui à plus ou moins long terme pour ne pas rester en dessous de lui et pour que mon couple intérieur sorte lui aussi de cette exploitation du féminin par le masculin. Si j'ai choisi un homme plutôt dominé, mon masculin pourra s'exercer à l'extérieur, ce qui diminuera la pression sur le féminin en moi. Mon masculin aura aussi l'occasion de se transformer en prenant modèle sur un masculin plus évolué. Mais si mon partenaire est dominé, il ressentira un malaise. Un conflit d'un autre type surgira dans le couple.

Deux partenaires resteront ensemble par amour dans la mesure où le masculin intérieur de la femme évoluera et le féminin intérieur de cet homme se transformera pour laisser sa place aussi au masculin. Ces deux êtres se sollicitent ainsi mutuellement dans leur androgynat.

Pour être bien avec soi-même, il est nécessaire d'avoir une vision consciente de sa bipolarité et de son évolution. *Qui mène la danse en moi ? le masculin ou le féminin ? Y a-t-il symétrie ou dissymétrie ?* Pour compliquer un peu les choses, on pourra aussi regarder qu'une femme a un homme intérieur mais aussi une femme intérieure, et que son véritable couple intérieur se situe dans ces dimensions. De même pour un homme. La femme visible ne laisse pas toujours transparaître ce que son intériorité comporte de capacité d'amour, de finesse et de noblesse. Une femme de quatre-vingts ans peut abriter en elle une jeune fille toute de fraîcheur.

Les choses paraissent complexes dans l'explication mais elles sont assez simples dans le ressentir. Cette notion de couple intérieur renvoie à l'état créatif. Au moment où nous sommes le plus créatifs, nous vivons spontanément une union du faire et de l'être, de l'actif et du réceptif. Ces deux termes ne s'excluent pas. Toute la finesse de la vie intérieure consiste à apprivoiser le paradoxe. Comme le dit Héraclite : « L'un et le même se manifestent dans les choses comme vivant et mort, éveillé et endormi, jeune et vieux », ou encore Lao Tseu : « La pesanteur est la racine de la légèreté, l'immobilité, le principe du mouvement. »

Une personne qui a de l'amour pour elle-même a un couple intérieur qui vit en majorité une harmonie. Le masculin et le féminin ne jouent plus guère à se dominer et à s'exploiter, ils coopèrent, ils ont changé de niveau de plaisir. Le présent n'est plus sacrifié au futur, l'instant a droit à ses rondeurs et le futur a ses temps de préparation.

Pour mieux appréhender ce masculin et ce féminin, vous pouvez les symboliser par des objets et imaginer comment ces objets entrent en rapport l'un avec l'autre. Par exemple, une lampe et un couteau, un vase et une épée. Vous vous laissez aller à raconter une histoire. Vous la transcrivez par écrit puis vous tentez de la décoder. L'histoire est généralement très révélatrice.

Lorsque quelque chose ne va pas, que vous vous sentez malheureux, découragé ou dépressif, plutôt que d'accuser le ciel, vos partenaires, vos enfants, vos parents, examinez le jeu du masculin et du féminin en vous. Tentez de comprendre quelle est la partie de vous qui est insatisfaite, frustrée. Où est le déséquilibre ? Reportez-vous aux sept grandes étapes et situez-vous.

Caractérisez la femme ou l'homme que vous êtes. Caractérisez le masculin intérieur ou le féminin intérieur. Je suis un homme ambitieux. Mon masculin intérieur est mystique. Mon féminin intérieur doux et aimant. Qu'est-ce que j'écoute en moi ? Qui commande ?

Les moments de grand bien-être correspondent à une union, une harmonie entre la femme intérieure et l'homme intérieur.

Rencontrer son tyran intérieur

La voix intérieure qui n'hésite pas à vous critiquer, à vous attaquer parfois violemment jusqu'à vous laisser exsangue alimente le mépris de soi et le manque de confiance. D'où vient cette voix terrible qui juge sans cesse, qui compare, qui censure ?

Elle est une introjection d'une voix parentale, celle de la mère, du père, ou parfois une conjugaison des deux, mâtinée de celle d'un professeur. Toute personne qui a exercé sur vous une autorité décisive sert à alimenter la voix critique. Elle tient le langage de la société, de l'adaptation, de la normalisation. Elle tend aussi à placer la barre très haut, notamment dans l'exercice d'un art, écriture, musique, peinture, et à vous stériliser par son exigence : « Tu es nul », « Tu ne seras jamais à la hauteur. » L'orgueil et le sadisme alimentent ces jugements.

La meilleure manière de la reconnaître, c'est de la faire parler. Par exemple, vous exprimez tout haut ses paroles quand vous êtes au volant de votre voiture ou seul dans la maison. En séminaire, la concentration du groupe favorise une mise en situation. La voix d'une personne devient parfois méconnaissable, très haut perchée ou très grave. Il peut s'agir d'un véritable exorcisme car le critique intérieur quand il a une figure tyrannique touche à l'ombre en nous. Il représente un aspect exaspéré de nous-mêmes, prêt à faire alliance avec la destruction contre nous pour garder la suprématie et le pouvoir. Un fort désir-plaisir de la domination est à l'œuvre.

Combien de personnes de valeur sont ainsi minées souterrainement par une voix qui leur interdit l'accès à la paix intérieure et à la simple satisfaction du devoir accompli.

Mon propre critique intérieur était extrêmement fort, à la mesure des ambitions avortées de mes deux parents. Il m'a longtemps paralysée. Je n'avais aucune énergie de réalisation. Dès que je commençais quelque chose, je me sentais littéralement submergée par un flot de négatif. Inutile de continuer. Tout cela ne valait rien. Il est intéressant de se demander si ce critique intérieur est plutôt masculin ou féminin. Dans mon cas, il avait nettement des valeurs masculines. Peu importait que je rate un plat ou que je ne m'intéresse guère au ménage, que je sois nulle en couture. Par contre, les critères culturels vis-à-vis de l'écriture, du comportement, de l'adaptation sociale, du sens de l'orientation, étaient très exigeants. Je peux reconnaître aujourd'hui qu'il m'a littéralement paralysée, emprisonnée pendant des années et je soupçonne que de nombreuses personnes sont dans mon cas. Comment l'ai-je traversé, chevauché, comment est-il devenu non plus un ennemi mais un allié ?

Car, pour moi il ne se manifeste plus sous une forme destructrice. Il me conseille, me soutient, me donne de la prudence, du recul dans mes actions. La prise de conscience de son existence est devenue progressivement plus précise et j'ai appris à le détecter, à ne plus m'identifier à lui.

À quoi sert cette personnalisation sous forme d'entité, sinon à mettre de la distance entre le moi conscient et les exigences d'une logique de pensée qui est incarnée non pas par une influence extérieure parentale ou amicale mais par une entité nourrie de l'intérieur ? Les créateurs de la méthode du dialogue intérieur ont été ainsi amenés à nommer plusieurs entités dont le protecteur, l'activiste, etc. Je retiendrai essentiellement le critique intérieur qui se manifeste souvent sous une forme tyrannique et l'enfant intérieur qui apporte la fraîcheur et l'amour. Trop souvent, le tyran intérieur combat dans le camp de la puissance et il est l'ennemi de l'amour, donc de l'enfant intérieur.

Quand une personne commence à s'ouvrir à l'amour, le tyran pourrait se frotter les mains parce qu'il aura l'occasion d'exercer ses talents. La vulnérabilité s'accompagne d'une grande peur : peur de ne pas être aimé, peur d'être trahi, peur d'être envahi, submergé, emprisonné, floué. Le critique intérieur en chacun est à l'affût du moindre signe qui lui fait désespérer de l'amour. Une intonation de voix, un mot, une attitude. Le film des doutes repassera encore et encore pour être décodé par celui qui aime et qui craint. Souvent les peurs gagneront et refermeront la porte après une timide apparition de la confiance.

Ceux qui ont un fort critique intérieur n'ont d'eux-mêmes qu'une opinion très mitigée. Ils croient donc difficilement que quelqu'un puisse les aimer et ils soupçonnent plus volontiers l'autre du pire que du meilleur. Plus exactement, au moment où le critique intérieur prend le pouvoir, la personne s'isole alors que quelques instants auparavant elle était tendre, prévenante, joueuse. Restée seule, elle devient sombre, elle se laisse envahir par tout le négatif qu'elle a refoulé pendant la rencontre. Ce négatif complaisamment détaillé par le critique intérieur devient « la vérité ». Si quelqu'un lui demande comment va sa relation, elle laissera entendre qu'il y a des difficultés. Cette attitude est une forme de trahison à l'égard de l'autre qui n'est pas du tout au courant de ce qui se passe.

Aujourd'hui l'attention accordée à l'inconscient et à l'écoute des profondeurs se révèle parfois désastreuse et destructrice. Beaucoup de gens sont persuadés que, s'ils accordent à leur négatif la place de s'exprimer, ils seront plus près d'eux-mêmes et deviendront plus authentiques. C'est vrai et c'est faux. Il y a deux formes d'attention, l'une qui nettoie et libère, l'autre qui grossit les choses et qui « plombe ». La mise en lumière du négatif permet de le transformer, le muter, l'alléger. **La mise en culture de ce même négatif lui fait prendre des proportions démesurées.**

Il ne faut pas oublier que le critique intérieur se nourrit du négatif, de ce qui ne va pas, que la seule chose qui lui paraît enviable et rassurante, c'est le pouvoir. Ériger du négatif en vérité, c'est s'assurer d'un pouvoir.

Dans une relation amoureuse, le critique intérieur s'avère un terrible saboteur. Il intervient régulièrement, guettant la moindre occasion. Il tente de détruire la relation parce qu'il ne la trouve jamais satisfaisante. Il pousse aux jugements excessifs, aux réactions, aux blessures d'amour-propre. Il attaque, il agit dans le sens de l'orgueil. Mais la souffrance est parfois si vive qu'elle engendre son contraire : l'humilité.

« Je ne peux pas le quitter parce que j'ai un lien réel et profond avec lui. » Et dans un sursaut, l'être surmonte la crise provoquée par le critique intérieur. Il fait quelques pas dans l'acceptation de lui-même, dans l'acceptation de l'amour et de son dépouillement.

Il se joue dans l'amour une guerre entre la crainte et la confiance. **Chaque fois que la confiance a l'occasion de gagner un peu de terrain, la capacité d'aimer d'un être s'accroît.**

Quelle est mon essence ?

Qui suis-je ? La même question se répète encore. Peu d'êtres sont en contact avec cette essence, qui fait qu'ils sont uniques, qu'ils ont un talent bien particulier que nul autre qu'eux ne manifeste. Peu d'êtres écoutent leur âme et aiment leur solitude pour avoir le temps et l'espace d'entendre leurs accords intimes. S'aimer soi-même, c'est aussi avoir contact avec ce chant de vie qui a la voix de l'enfant intérieur.

Cet enfant intérieur aime rire, rêver, chanter, danser, profiter de tout et de tous à chaque instant. Il n'a jamais tout à fait oublié le message des premières années : la vie est extase. Beaucoup de gens n'écou-

105

tent pas, ne protègent pas et ne permettent pas à cette partie d'eux-mêmes de s'exprimer alors même qu'elle fait partie de leur créativité. Nous avons vu que le moi se composait d'une partie masculine et d'une partie féminine. On pourrait dire que le soi en nous est une sorte d'enfant-soleil. Il est remarquable qu'en Inde les deux courants d'énergie Ida et Pingala, droite et gauche, masculin et féminin, montent le long de la colonne vertébrale pour s'unir dans le troisième œil appelé aussi enfant-soleil.

Sur le plan psychologique, cet enfant n'est pas toujours fils du soleil, il est aussi renfermé, pleurnichard, passif et ce n'est que lorsque ses deux parents le soutiennent qu'il s'exprime pleinement, créativement. Chaque personne dans son processus d'évolution est appelée à développer son masculin et son féminin et à proposer ce couple parental adulte à son enfant intérieur vulnérable. Nous l'avons vu maintes fois déjà. La tentation de chacun est de demander à un partenaire de prendre soin pour lui de cet enfant intérieur. Le jeu amoureux permet cette prise en charge provisoire à condition que ce soit un jeu dans lequel on puisse entrer et sortir et non pas une dépendance et une prise de pouvoir.

Il est central de s'occuper de son enfant intérieur aussi bien sur le plan psychologique que sur le plan énergétique. Toute l'autonomie affective se construit dans l'harmonie du masculin et du féminin intérieur et dans la manière dont ce couple intérieur s'occupe de l'âme-enfant-essence.

Une autre manière de le dire consiste à ressentir la beauté que l'on cultive en soi et à lui rendre hommage. Toute la beauté que l'on est capable de produire en mots, en gestes, en objets, en présence témoigne de cette dimension et commence à rayonner un champ d'amour. Toute thérapie réussie, tout développement amène à la conscience un sentiment accru de sa propre valeur. En consacrant du temps et de l'argent à soi-même au cours d'un séminaire on s'offre l'occasion d'un contact avec son enfant intérieur.

Comment s'aimer soi-même

Faire une liste des aspects que vous n'acceptez pas physiquement

Faire une liste des aspects que vous n'acceptez pas psychiquement, défauts et autres imperfections...

Prendre conscience que toutes ces identités que vous rejetez ne sont pas mortelles : trop grand, trop gros, trop dépendant, etc.

Faire une liste de ce que vous pouvez changer.

Comprendre que vous êtes une personne unique qui ne peut se comparer à personne.

Comprendre qu'être aimé ne signifie pas être parfait, premier, riche, beau...

Faire une liste de ce que vous appréciez chez vous.

Faire une liste de ce que vous ne feriez pas aux autres et que vous faites à vous-même.

Faire une liste de tous les gens que vous rejetez.

Faire une liste de tous les gens que vous considérez comme plus importants que vous.

Méditer régulièrement les phrases suivantes :

Plus je m'aime et plus les autres m'aiment.

Plus j'ai du respect pour moi et plus les autres me respectent.

Plus je suis honnête avec moi-même et plus les autres sont honnêtes avec moi.

Plus j'ai confiance en moi et plus les autres me font confiance. Plus je pense à moi et plus les autres pensent à moi.

Plus je pense à moi et plus je peux penser aux autres.

Pour être en amitié avec moi-même, pour être un bon compagnon pour moi, que dois-je faire ? C'est une question à se poser chaque jour au niveau de son bien-être corporel, de sa nourriture, de ses temps de repos, de ses achats, de ses temps de plaisir, d'apprentissage.

Quand j'ai un désir, je n'attends pas que mon bonheur vienne des autres, je crée ce bonheur.

Je suis responsable de mon bonheur.

Ma réussite dépend de moi.

Je n'ai pas besoin de plaire à tout le monde.

Je n'ai pas besoin de l'approbation de qui que ce soit quand je prends une décision.

Aimer son corps

Il faut se donner la peine d'aimer son corps pour bien faire l'amour.

Comment vivez-vous dans votre corps ? Recevez-vous des sensations de chaleur, de douceur ? Êtes-vous attentif au confort et à l'inconfort ? À la soif, à la faim ? Êtes-vous attentif à la qualité de la nourriture ? Prenez vous le temps et le plaisir de l'absorber dans la détente ? Êtes-vous déterminé à ne jamais vous surmener, vous presser, vous stresser sous aucun prétexte ? Le bain et la douche sont des moments privilégiés pour exprimer son amour du corps. Vous pouvez apporter de la conscience, de l'attention en respirant profondément pendant ces soins quotidiens et en vous exerçant à détendre vos muscles un à un au contact de l'eau chaude. Vous vous sentirez rassemblé, unifié en sortant de l'eau. Prenez le temps de bien vous sécher et d'éprouver de la sensualité au contact d'une serviette dont vous aurez choisi la texture et la couleur. Soyez attentif à toutes les parties de votre corps et orientez votre esprit vers des pensées d'acceptation même si vous n'aimez pas vos pieds ou vos cuisses. Il y a un exercice connu et parfois raillé mais qui se révèle très utile.

Vous massez successivement toutes les parties de votre corps avec une huile parfumée, par exemple avec de l'huile essentielle de citron ou de lavande. Vous prononcez intérieurement une formule d'acceptation : « J'accepte mon pied tel qu'il est », et vous continuez avec jambe, cuisse, bassin en remontant jusqu'aux cheveux. Vous allez prendre conscience de vos résistances vis-à-vis de votre corps, de vos critiques souvent grossies par rapport à la réalité. Ensuite, vous regardez votre image globale dans le miroir, d'abord avec cet œil critique que vous connaissez bien et ensuite avec un niveau d'acceptation le plus total possible : derrière cette forme imparfaite qui est moi, il y a une essence de beauté. La beauté est en moi. Mon corps est le temple de cette beauté. On parle trop de la beauté en termes de plastique extérieure alors qu'elle est une émanation subtile qu'aucune perfection extérieure ne remplace. Cette acceptation de soi en profondeur est au cœur même de l'ouverture à l'autre. Combien de femmes et d'hommes sont obsédés par leurs défauts physiques, s'interdisent une rencontre au nom de ses défauts, ou restent contractés, distraits, indisponibles pendant l'amour à l'idée du regard critique que l'autre va poser sur eux. On sait trop peu que **quelqu'un qui s'accepte est toujours reçu comme beau et agréable par l'autre.** Cet exercice du miroir conduit en quelques minutes à une modification de l'état de conscience [1].

Ce moment d'intimité passé avec soi-même est comme une cérémonie. **Chaque jour, à chaque instant vous êtes un amant, une amante pour vous-même.**

Faire l'amour avec soi-même

C'est un point de départ et un point d'arrivée. D'une certaine manière, faire l'amour avec l'autre ne dispense à aucun moment de faire l'amour avec soi-même. Le feu du désir s'apprivoise dans son propre corps. Le désir est toujours une flèche pointée en direction du centre, en direction du soi et l'archer en nous a besoin d'exercer son habileté encore et encore en dehors des circonstances de la rencontre.

Il y a une manière physique de faire l'amour avec soi-même. C'est la masturbation, pratique honteuse et décriée dans la morale sociale, pratique conseillée médicalement en sexologie. Sortant des tabous et des prétextes, nous pouvons considérer la caresse de son propre sexe comme un geste naturel que l'enfant n'a

---

1. Pour en savoir plus sur la manière d'habiter son corps en conscience, dans la nourriture, les massages, les exercices, voir *Corps vivant*, Albin Michel, 1983.

pas besoin de se voir enseigner. Geste de plaisir qui permet de découvrir un fonctionnement merveilleux, une transformation énergétique. Spontanément, l'enfant joue encore et encore avec cet état intérieur. Tout est prétexte à la petite fille pour exciter son clitoris. Elle se frotte contre sa selle de vélo, sur la branche de l'arbre, sur les genoux du monsieur, elle se dandine sous la table. Et le garçon se touche subrepticement dès qu'il se croit à l'abri des regards. C'est tellement bon ! C'est une découverte capitale mais souvent censurée par les adultes. Certaines personnes ne se souviennent même pas s'être jamais masturbées, beaucoup ressentent de la gêne ou de la culpabilité à se caresser.

Faire connaissance avec sa capacité de plaisir, se sentir capable de se donner ce plaisir à soi-même est pourtant très important, décisif même dans la dépendance amoureuse et érotique. Quelqu'un qui sait se donner du plaisir est aussi quelqu'un qui sait provoquer le meilleur, conduire la magie de la rencontre vers les possibles de l'extase. C'est aussi le signe d'une acceptation de soi, d'une union entre le corps et l'âme.

Cependant, cette caresse intime peut être menée de manière compulsive, comme une décharge de tension et sans réelle adhésion du cœur. Le plaisir qu'on en tire est alors très limité.

Dans un état d'esprit d'intériorisation et de méditation, la même caresse devient une cérémonie. Vous vous autorisez à chevaucher des vagues de plaisir, vous ne courez pas vers la détente orgasmique. Si vous êtes un homme, vous profitez pleinement de cette situation pour contrôler l'éjaculation et pour connaître une jouissance « sèche », qui remonte vers le cerveau.

Si vous êtes une femme, vous atteignez un état de plateau comme suspendu qui pourrait ressembler à un état d'extase. Ce n'est pas un érotisme nourri de fantasme, c'est une exploration de soi, une mise en confiance dans sa capacité au plaisir.

Faire l'amour avec soi-même, ce n'est pas se caresser furtivement, honteusement en quelques minutes. Cette célébration intime mérite une bougie, de la musique, des tissus soyeux, du parfum, un miroir et une méditation sur le visage de son idéal masculin et féminin. On visualise en corps subtil cet amant intérieur, cette amante intérieure et on ressent cette fusion comme dans un rêve éveillé. Le miroir permet de regarder son sexe de face, comme on ne le voit jamais et comme il est perçu par l'autre. Cet apprivoisement devient très sensuel par le toucher du velouté intérieur du vagin, ou le velouté du gland. La femme apprend à distinguer son orgasme clitoridien de son orgasme vaginal, à caresser simultanément son clitoris et son vagin, à caresser son clitoris et le bout de ses seins. L'homme stimule son érection en découvrant son gland, en accélérant un mouvement de va-et-vient, en caressant la zone du périnée et de l'anus. Il y a une beauté dans cette relation de l'homme et de la femme à leur propre corps. Et cette liberté acquise avec soi-même se transpose ensuite dans une intimité partagée. Il est très excitant et très émouvant de regarder l'autre se caresser en s'offrant à votre regard.

La relation à soi-même offre aussi une occasion privilégiée d'apprendre à canaliser l'énergie sexuelle. La proposition consiste à ne pas s'abandonner à l'orgasme, à s'arrêter juste avant, en inspirant et en bloquant la respiration, poumons pleins, quelques secondes. L'expir apporte une détente et permet à l'énergie accumulée dans le sexe de se répandre dans le bassin. En caressant son ventre, on permet à cette chaleur de se diffuser. Puis on continue de stimuler le sexe et on dirige cette énergie en portant son attention sur le centre du cœur situé au milieu de la poitrine. La caresse du ventre monte vers la région du cœur. Juste avant l'orgasme une grande inspiration, suivie de rétention d'air, permet de faire monter l'énergie sexuelle au cœur. À l'expir l'énergie redescend dans le sexe.

De la même manière, l'attention est déplacée entre les deux sourcils. Une main caresse le sexe et le stimule, l'autre se déplace du sexe au cœur et du cœur au front. Juste avant l'orgasme, une grande inspiration permet de faire monter l'énergie, de la retenir poumons pleins et corps relaxé avant de la laisser redescendre avec l'expir.

Cette pratique affine la perception de l'énergie et communique à tout l'ensemble du corps un état vibratoire plus ardent. Ainsi, par une intervention consciente, l'être apprend volontairement à faire une jonction entre son cerveau, son cœur et son sexe. Cette jonction n'a rien d'exceptionnel. Elle est présente, libre chez l'enfant de trois, quatre ans, parfois plus. Elle redevient ouverte chez l'adulte qui a appris à la pratiquer consciemment. Elle met en jeu le principe subtil de la mutation d'énergie, de la transformation du lourd en léger et du feu en lumière. Quand cet axe est ouvert, une personne change son comportement bien au-delà d'une volonté psychologique. Cette naissance énergétique lui permet un permanent accès à l'être. Elle apprend à surfer dans la grâce de l'instant. Il y a là un enjeu capital qui va bien au-delà d'un apprentissage du plaisir. Tout comme nous apprenons à nager, nous avons besoin d'apprendre à faire circuler l'énergie à l'intérieur de nous.

L'école du plaisir devient école d'éveil et de sagesse.

Faire l'amour avec soi-même c'est faire l'amour avec la vie. La découverte qui se profile derrière ce réapprivoisement du corps de plaisir, c'est la voie du milieu, par la sensation psychocorporelle de la ligne de l'extase.

CHAPITRE IV

Je suis amour donc j'existe
J'ouvre

Un handicap de société

« Je suis amour donc j'existe » complète et renforce
« Je m'aime donc j'existe ». Tout être humain a
besoin pour fonctionner sainement de répartir son
énergie d'amour entre recevoir de l'autre et donner à
l'autre, se donner à soi-même et recevoir de l'univers.
Certains sont déséquilibrés dans le recevoir, adoptant
plutôt un profil de victime, d'autres dans le donner,
victimes du trop ou bourreaux du pas assez, mais,
dans notre type d'éducation occidentale, la plupart
des êtres manquent surtout d'amour de soi et d'enracinement profond et ultime à l'amour de la vie.

« Être amour » correspond à un état d'ouverture
qui pourrait être une constante de fond chez tout être
humain si les circonstances de l'éducation ne l'ame-
naient pas à retourner contre lui-même une grande
partie de son élan vital. L'enfant a spontanément un
appétit d'expression et de découverte, un désir de
rire, de chanter, de danser qui **est** perpétuellement
une célébration de la vie. L'adulte apprend à canaliser ce désir jaillissant du plaisir, pour accepter l'effort

et le labeur. Ce sacrifice du plaisir immédiat au profit de la réflexion et de l'action a permis toute l'édification de la civilisation du mot, de la logique, de la connaissance, de l'accumulation. L'importance de l'acquisition de cet aspect de l'existence n'est pas à remettre en cause. Nous pouvons seulement constater à quel point un pôle supplante l'autre au lieu de cohabiter et de s'équilibrer avec lui. Autrement dit, un enfant qui s'adapte parfaitement à l'école, qui est ce qu'on appelle un bon élève, laisse souvent tomber tout un aspect de lui-même, son aspect rêveur, ses dons artistiques et même sa joie de vivre au profit d'une réussite dite scolaire. Et cet enfant, fils de la logique, a de grandes chances d'être plus tard un handicapé du « Je suis amour ».

Le culte du désespoir

Le scepticisme profond qui caractérise notre époque, et principalement notre culture, se manifeste par un refuge dans l'esprit critique, un décorticage analytique, un besoin d'ambivalence, un refus d'adhérer à des valeurs transcendantes. Longtemps des croyances dominantes, religieuses ou sociales, métaphysiques ou comportementales, ont dirigé la société. Aujourd'hui, l'individu se donne le droit de repenser, peser ses croyances et les relativise. Son intelligence l'autorise à culminer dans le doute. Mais Thanatos est aussi au rendez-vous. La pulsion de mort en chacun, le goût de la destruction s'alimente de cette lucidité éclairée. Le sens de la vie s'enlise dans les marécages du doute sceptique.

De plus en plus de gens sont atteints par cette maladie de l'âme qui consiste à autoriser l'intelligence discursive à outrepasser ses droits, à immobiliser le mouvement de la vie dans une dissection sèche et analytique. Ce ne sont pas seulement les savants, les intellectuels qui sont touchés. La grande masse aujourd'hui est atteinte, abrutie par une pléthore d'informations et de distractions bruyantes, ou coupée du ressentir par un fonctionnement anarchique de l'intellect. La pensée occupe toute la place de manière dérisoire et compulsive. Chacun est occupé à prévoir, planifier, pour finalement se stresser. Dans la logique de cet acharnement compétitif se présente une forme d'épuisement intérieur qui ouvre la place à l'état dépressif. Plus rien n'a de sens. « Pourquoi continuer ? Pourquoi s'acharner ? De toute façon la mort est au rendez-vous. Je n'ai plus envie de vivre. »

Les plus fragiles vivront sur un fond dépressif et négatif plus ou moins chronique. Les autres élaboreront une manière de vivre lentement suicidaire à travers médicaments, drogues, alcool, cigarette, nourriture, fatigue, marginalité.

Le négativisme a son panache, il a l'air intelligent, lucide alors qu'il n'est que coupé et parcellaire. Le désespoir est esthétique et romantique et il se laisse cultiver même dans les sphères petites-bourgeoises. On est revenu de tout, on se croit cultivé parce qu'on lit des magazines ou même les livres du moment. On se méprise secrètement et on affiche une assurance. On vit au-dessus de sa blessure et de son mensonge personnel. On regarde le monde à travers la vitre polluée de sa propre bulle sans prendre le temps ni le courage de la nettoyer. La vérité sur le monde avoisinant est celle de l'opacité de sa bulle.

Le culte du désespoir est un produit citadin, où l'intensité et la multiplication des stimulations sensorielles créent comme une anesthésie, où la pensée est omniprésente mais pauvre et répétitive. La vitalité est diminuée au profit d'une pâleur et d'une langueur maladive.

Le côté le plus insidieux de ce credo souterrain : « Je n'aime pas la vie », se manifeste dans une vie rétrécie, rabougrie, où les choix se font toujours dans le plus petit, le moindre risque, où les choix finissent même par ne plus exister. Le rythme de vie se robotise : courir, travailler, gagner, payer, acheter, se reposer pour se fatiguer, se fatiguer pour se reposer, tourner en rond comme dans un manège infernal, échapper à soi-même et échapper aux autres. L'érotisme, l'activité intellectuelle ou artistique sont parfois des tentatives d'échapper à ce désespoir sournois sans trouver assez d'énergie pour être autre chose que des parenthèses.

Du raisonnement à la résonance

Pour sortir de ce cercle vicieux qui menace tout le monde, nous avons besoin d'un effort conscient. Ceux qui vivent à la campagne sont les plus préservés de ce grand bain de laminage général mais, pour retrouver profondément en soi un « j'aime la vie » bien enraciné, il nous faut la porte d'accès à notre côté sauvage, indompté.

Écouter la nature dans de grandes promenades, courir dans la rosée les pieds nus, prendre le temps de méditer au soleil levant ou au coucher du soleil, respirer la mer, prendre sa bicyclette ou son bateau, autant de manières de s'offrir un temps de réceptivité et de redimensionnement.

Qu'est-ce qui peut m'aider à sortir de la pensée et à entrer dans la résonance ? Qu'est-ce qui me permet de ressentir et de vibrer ? Comment augmenter ma présence à l'instant ? Ce sont les questions que se pose celui ou celle qui souhaite sortir de son déficit dans « Je suis amour ».

Le développement personnel amène beaucoup de personnes à prendre conscience que leur difficulté dans une relation prend sa source dans une coupure vitale et spirituelle. Quand on ne sait pas vivre une solitude heureuse on ne dispose pas d'assez d'énergie pour aller sereinement vers les autres. Pis encore, le conflit est souvent la conséquence d'un manque d'énergie. Celui qui ne sait pas trouver de l'énergie à la verticale aura tendance à aller la chercher chez son voisin en générant un conflit.

Notre verticalité se nourrit par le fonctionnement de la grande conscience, celle qui est plus vaste que les seuls besoins liés à notre corps, à notre survie. La fonction poétique en nous est capable de se réjouir de la beauté du monde, d'établir des rapprochements, de créer des symboles et nous permet ainsi de ressentir le vaste. Le plus souvent, nous sommes identifiés à notre corps. Mais il nous est possible aussi de nous identifier à un paysage, à un arbre, à une voiture, à un animal, à une pierre. S'identifier signifie se projeter dans, ressentir la forme, les contours, la matière, devenir cette chose qui n'est pas moi. Ainsi, le moi sort de ses limites habituelles, s'aère en quelque sorte, s'agrandit, s'élargit et par là même s'allège. S'identifier volontairement, c'est comme exercer une fonction divine, accéder au privilège de Dieu d'incarner l'univers. Tout devient vivant, tout devient moi. Je quitte la prison de mon corps pour accéder, même brièvement, même partiellement, à un parfum d'unité.

Cette résonance à toutes les formes de vie est un grand privilège de l'humain. Nous l'exerçons parfois inconsciemment en regardant par la fenêtre lorsque nous cherchons une idée, lorsque nous nous sentons momentanément fatigués ou qu'une conversation nous ennuie. Mais nous avons la possibilité de le faire consciemment plusieurs fois dans la journée pour nous alléger. De la même manière, la pratique du dessin, ou l'écoute d'une musique ou même une bouffée de senteur vont nous agrandir presque jusqu'aux étoiles.

L'intégration de cette dimension ne peut se faire que par la pratique quotidienne. Lorsqu'une personne s'entoure toujours davantage d'objets, de formes et de couleurs qui correspondent à son esthétique, elle tente de créer ainsi autour d'elle un support d'identification permanent qui lui renvoie de l'énergie. Mais il est aussi possible de « **vivre en ressentir** » sans critère de beauté, d'affinité et de s'ouvrir à toutes les formes au-delà des répugnances ou des rejets. Le ressenti s'élargit alors au sans jugement. Beau ou laid, cet arbre est pour moi une expérience. De même pour celui qui vit dans le mystère de l'être toutes les personnes humaines sont passionnantes. Une telle ouverture peut sembler utopique et pourtant elle ne renvoie pas à une sainteté sacrificielle. Dès que le déclic est trouvé dans l'être, il y a un réel plaisir à accueillir toute forme d'expérience qui se présente. Nous sommes habitués à chercher nos stimulations à l'extérieur mais, dès que nous revenons à l'intérieur, les critères changent. **Cette attitude est à la fois réceptive et créatrice, elle accueille et modèle, elle nourrit l'intuition, elle met dans l'être un pétillement continuel et un très grand calme**, car le monde est toujours plein. Le sentiment d'unité ne surgit que par instants rares et privilégiés dans une vie occupée mais le ressenti permet de rester dans une tonalité de fond.

Quand on a fait de longues études universitaires, quand on occupe un emploi qui sollicite ses capacités analytiques, quand les circonstances ont favorisé la dominance du cerveau rationnel, on a beaucoup de difficultés au début à accepter de ressentir. Tout simplement, on s'ennuie. On s'aperçoit aussi qu'on adopte une respiration très courte pour s'empêcher de respirer et de ressentir. Ce n'est qu'avec la pratique qu'on découvre un nouveau plaisir et qu'on l'adopte alors plus spontanément. De même, l'écoute de la musique n'établit en soi une résonance énergétique que si on lui consacre de l'attention. Plus une oreille est éduquée, plus elle entend de choses, et il en est ainsi de l'odorat. Les cinq sens sont une porte de conscience et de présence pour chacun.

L'ouverture du cœur

À la porte de mon cœur frappe un mendiant d'amour
Je porte en moi tous les trésors de lumière, d'amour et de liberté.

Exilés de l'amour si souvent, si longtemps, nous retrouvons par instants la merveilleuse plénitude de l'être, ressentir comme une coulée de miel dans le ventre et le cœur, redevenir pleinement vivants.

Les mots ont leur poids de vécu et tentent de créer une résonance chez celui qui les entend, les écoute pour émettre à son tour un chant.

Il est possible de prendre conscience qu'à chaque instant je suis à la fois engagé dans la ligne du passé présent futur et posé dans l'éternité sans fin ni commencement. Ces deux états se superposent et c'est moi qui choisis d'orienter le fonctionnement de mon cerveau vers la logique analytique de l'événementiel, cerveau gauche, ou vers la logique plus synthétique de mon cerveau droit, ou encore dans une troisième voie moins connue, moins explorée. Cerveau droit ou cerveau gauche, il s'agit encore d'agir dans le monde mais, lorsque ces deux cerveaux entrent en communication, une pause se produit, le temps se dilate, la fonction contemplative prend toute sa dimension. Je ne suis plus une théière, je suis un bol. Je reçois. je n'ai plus rien à montrer, à donner. Je suis pure sensation.

L'extase et la félicité se situent dans cette voie du milieu qui est à la fois physique, psychique et spirituelle. Le temps et l'espace se concentrent dans la présence d'un corps, présence horizontale et verticale. Nous pratiquons spontanément « l'ici et maintenant » lorsqu'une intensité d'amour, de beauté ou de peur nous soustrait à nous-mêmes, à nos inquiétudes, à notre course en avant. Mais il est possible de pratiquer volontairement cette entrée dans le présent par la méditation.

La respiration est le médiateur privilégié entre l'esprit et le corps. C'est par la respiration que nous accédons à des états de conscience modifiés. Plus la respiration devient consciente, plus le corps se détend, plus l'intérieur devient comme frais et repassé, plus les idées s'éloignent pour laisser place au ressentir d'un vide plein. L'être accède à ce nouveau plaisir au bout d'un certain temps de pratique mais, quand on sait retrouver en soi à tout moment cet espace intérieur privilégié, **la sagesse en nous commence à tracer un sillon de joie permanente et inspiratrice.**

En séminaire le premier accès à cette dimension passe par la pratique du ressentir. Au début, l'exercice est volontaire et même scolaire. Il se heurte souvent à des résistances. Les participants aiment recevoir des enseignements ou faire des exercices ensemble. Mais à se retrouver seul dans la nature et à exercer une contemplation active tout en prêtant attention à sa respiration, voilà que tout à coup une forme d'ennui, de vide surgit. Avec un peu de persévérance, pourtant, on dépassera rapidement ce refus de revenir à la solitude du ressenti. L'exercice consiste à s'identifier à une pierre, puis à une plante, à un arbre, ensuite à un animal et enfin à un humain. Tous les règnes sont concernés. La notion d'identification est très riche et suppose plusieurs couches d'exploration.

Pour devenir cette pierre, peut-être qu'au début je fais marcher mon imagination et il y aura toujours la pierre d'un côté et moi de l'autre. Je m'applique consciencieusement, je respire, je cesse d'être identifié à mon propre corps et je me projette dans la pierre. Je deviens lourde comme elle, lourde et dense. Quand je deviens l'arbre je m'enracine et je m'élance, verticalisé entre ciel et terre.

Ne faire qu'un avec la fourmi peut faire pleurer d'amour, et s'unir au soleil remplir de lumière. **Il s'agit de ne plus penser les choses, de ne plus les nom-**

125

mer mais de faire corps avec elles. La sensation d'unité, le fait de se sentir relié à tout ce qui existe n'apparaît parfois qu'une seule fois dans une vie, laissant une trace ineffaçable. Les mystiques témoignent de leur accès à cette expérience d'unité par instants privilégiés.

Mais on approche aussi cette dimension à l'intérieur de soi par un mouvement délibéré. De jour en jour, d'exercice en exercice, l'importance de cette attitude du ressenti face au monde fait son chemin et instaure une manière d'être. **Vivre en ressenti, c'est être présent comme une coupe et se remplir grâce à la théière que représente l'univers. Vivre en ressenti, c'est donner sa place au féminin de l'existence.** L'exercice s'affine avec la prise de conscience que, dans le ressenti, nous abordons souvent le monde avec nos jugements (cet arbre est beau, cette femme est laide, etc.) et que nous ressentons à travers nos jugements. Rouvrir nos jugements, se proposer volontairement d'explorer des jugements inverses et finalement oser « ressentir sans jugement » apporte une expérience métaphysique. Il y a là une voie pour l'apprentissage de l'amour inconditionnel, une voie d'ouverture qui passe par la redécouverte des forces de la nature, la redécouverte de la puissance bienfaitrice de la Déesse-Mère.

L'immensité est en moi.

Je suis source

Quelle résonance le mot source introduit-il ?

Je suis source, je suis la source, je suis dans la source, je fais partie de la source.

La vie est une immense source jaillissante et j'ai conscience d'appartenir à ce jaillissement, d'en être même quelque part l'origine. Cette sensation est très puissante et développe un sentiment de liberté, de force joyeuse, de force légère. Dans un moment de stress et de rétrécissement de la conscience, cette idée ou cette phrase énoncée, « je suis source », induit un changement radical, une libération. **La petite conscience quotidienne se trouve à nouveau englobée, déversée, ressourcée dans la grande conscience**. Une détente se produit dans tout le corps, une chaleur commence à circuler au niveau du ventre et de la poitrine. À l'emprisonnement de la victime fait place l'espace du créateur. Les deux pôles de la victime et du créateur ne cessent de se répondre, de se renvoyer l'un à l'autre dans une même personnalité. Entre ces deux pôles, le sentiment de la source établit le sillon plus permanent de l'être.

Là où la source évoque l'espace, le centre ramène au point car la présence est toujours paradoxe. Se centrer, c'est revenir à soi, revenir à son corps, habiter son corps de conscience. Le centre est en même temps point et alignement. Il y a plusieurs centres d'énergie dans un corps humain et les traditions ne s'accordent pas sur leurs chiffres. En Occident, on a surtout retenu les sept centres principaux, du sexe, du hara, du plexus solaire, du cœur, de la gorge, du front et du sommet de la tête. Ces sept centres sont disposés de manière verticale et on peut parler d'un axe d'énergie qui relierait le sexe, le cœur et la tête. Apprendre à se réunifier subtilement sur cet axe tout en respirant consciemment apporte un grand sentiment de sécurité intérieure, d'harmonie et conduit à l'émission de pensées justes. On ne pense bien qu'en marchant, disait Nietzsche ; on pourrait ajouter : **on ne pense juste qu'en se centrant.**

Tout se passe comme si entre la pesanteur et la légèreté, cet axe représentait pour l'humain un canal d'allégement, de mutation, un chemin vers la grâce. Apprendre à devenir léger, à devenir un danseur de la vie, c'est une leçon constante et passionnante.

Ceux qui sont engagés dans une voie de transformation adoptent assez rapidement ce point de repère. « Quand est-ce que j'agis de façon centrée dans ma vie ? » Et cette expression fait allusion à une sagesse de comportement, à une voie du milieu comme dictée par la manière d'être présent à soi-même.

On pourrait dessiner la conscience comme une succession de cercles concentriques autour d'un point central qui représente le soi inaltérable. L'équilibre de la vie intérieure demande de pouvoir se rapprocher autant que possible de ce centre et aussi souvent que possible parce qu'il est la source de paix et d'unité, cette immobilité bienfaisante et éternelle, ce vide plein.

Tout dans notre civilisation tend à nous éloigner de ce centre et à nous maintenir comme prisonniers des couches les plus extérieures. Sur le plan psychologique et physique cette situation se retranscrit par une fragilité de la santé et par une tendance à perdre du pouvoir créatif.

Apprendre à revenir au centre représente un véritable retournement intérieur dans la manière de se vivre, dans sa force et son plaisir à vivre. Centré comme un soleil.

Le centre de la croix

D'une certaine manière, chaque fois que l'on porte son attention sur une partie du corps, on peut se centrer sur cette partie et elle devient un centre d'énergie. Chacun des cinq sens constitue une porte d'accès au ressentir, au plaisir, et à l'extase de vivre. L'ouverture de l'odorat, de l'ouïe, du goût, du toucher, du regard donne accès à l'expansion de l'énergie dans le corps. D'une autre manière, chaque partie du corps a une fonction bien spécifique et les états de conscience ne seront pas les mêmes dans une méditation sur le sexe, sur le cœur ou sur le point situé entre les sourcils. Le corps humain, pieds joints et bras ouverts, forme une croix et le centre de cette croix correspond aussi au centre d'énergie du cœur. Ce point n'est pas une abstraction mais une réalité psychosensorielle qui se manifeste par une chaleur, parfois par des douleurs. En respirant sur ce point et en l'élargissant consciemment de plus en plus, on peut obtenir des sensations d'ouverture qui apportent un grand bien-être. Dans le sentiment amoureux, ce centre est particulièrement activé. L'image de la personne aimée y est présente comme dans un médaillon. Cet amour pour une personne particulière produit un état de grâce qui peut se répercuter sur tout l'entourage. Dans la voie du cœur, on s'attache à entretenir volontairement ce qui se produit spontanément au moment de la rencontre.

Le poète cultive l'état amoureux, il est amoureux de l'amour, il tente d'inscrire une permanence dans les fluctuations des affinités électives et des désirs. La présence d'un soleil d'amour dans la poitrine devient indépendante des contingences d'une relation. Ce soleil est aimanté par la beauté de l'existence, par la nature, par une rencontre. Il est une plénitude qui part du dedans pour aller au-dehors et non l'inverse.

Là aussi, on peut parler de **retournement de l'être** car, à partir du moment où cette dimension trouve l'occasion de se fortifier comme une fleur dans le jardin intérieur, l'amour de soi grandit, la capacité d'amour à l'extérieur aussi et la relation désormais ne sera plus vécue à partir d'un besoin mais à partir d'un plein.

À juste titre en parlant du cœur on évoque la dimension christique. À plusieurs reprises dans des exercices d'expansion du cœur, on est amené à remarquer que **la crucifixion et l'extase ne sont que les deux faces de la même médaille.** La dimension christique a été popularisée coupée du sexe. Chacun peut faire l'expérience qu'en ayant beaucoup d'énergie au niveau du cœur, il n'en aura peut-être pas au niveau du sexe. D'une manière générale, les religions occidentales semblent s'être attachées à couper le cœur du sexe, et à travailler dans le sens d'une élévation cœur tête, cœur esprit. Mais la jonction sexe cœur ou cœur sexe est aussi particulièrement délicieuse quand on la retrouve. À notre époque, beaucoup de gens et notamment beaucoup d'hommes avouent ressentir une coupure : le sexe fonctionne mieux sans le cœur et le cœur mieux sans le sexe.

Confusément, notre civilisation explore les axes par lesquels elle tente de rétablir une liaison et les chercheurs de vie sont confrontés individuellement à cette restauration. Entre l'ego et le cœur, entre le plexus solaire et le cœur, entre le langage de l'intellect et le langage du cœur, entre l'enfant intérieur et le critique intérieur, entre le masculin et le féminin, il se cherche un pont, une arche d'alliance.

Le roi du Graal saigne, sa blessure est inguérissable et son peuple est malade... malade par insuffisance d'amour. Collectivement et individuellement, nous sommes blessés et la souffrance de cette blessure nous entraîne aussi irrésistiblement vers les périphéries de notre être. Sous cette forme, nous tournons et créons inlassablement dans une forme de souffrance et d'insatisfaction.

Qui m'aimera, qui me reconnaîtra, qui me fera naître à moi-même ? Aveuglément je cherche dehors ce que je ne peux trouver que dedans.

Le chemin du noyau de l'être est parsemé de monstres à affronter, et ces monstres sont nos blessures d'amour accumulées dans l'enfance, dans l'adolescence, ouvertes et rouvertes. Comment tirer le fil du sens, le fil d'Ariane dans le labyrinthe de la vie. Le labyrinthe n'est labyrinthe que pour celui qui se trouve dedans, ceux qui sont en dehors, ceux qui ont une vue d'ensemble communiquent des informations par la voix et par l'image, à distance. Les nouveaux moyens d'information, les nouveaux positionnements de la conscience permettent d'avancer différemment aujourd'hui dans l'aventure de la transformation. Les passeurs, les médiateurs, les thérapeutes se multiplient et remplissent une fonction essentielle dans cette avancée.

Tant que la blessure saigne, l'ego se renforce et le cœur se ferme comme un bourgeon gelé. Permettre à la blessure de se cicatriser c'est d'abord lui apporter de l'attention et ensuite de l'amour pour accepter, accepter encore. Le mot « acceptance » est inscrit au centre de la croix et cet accueil autorise le passage à une autre compréhension de la vie.

Le corps est construit d'une manière merveilleuse. Il est le réceptacle du mystère de la conscience et de l'amour. Plus nous revenons à lui, plus nous l'acceptons, plus nous le retrouvons, plus il nous montre la voie du bien-être extérieur et intérieur. En dehors de toute relation sexuelle, le feu du sexe est disponible à tout moment par une simple prise de conscience pour venir irriguer le cœur et la glande pinéale, si justement nommée par les hindous l'enfant-soleil. La connaissance tantrique de la jonction sexe-cœur-tête n'est pas sexuelle mais subtile. Elle n'exclut pas le sexe mais elle ne le privilégie pas non plus. L'être est sollicité dans sa dimension vibratoire, l'intériorité grandit humide et sèche, fraîche et chaude, appel constant de l'immense douceur de la paix.

La présence douce est un cristal d'amour né dans l'ombre de la terre et qui continue dans l'ouverture à générer la voie du milieu.

Que signifie la rencontre de la verticale et de l'horizontale au centre de la croix ? La croix évoque d'abord pour un Occidental la crucifixion. Comme si la conjonction de l'horizontale et de la verticale ne pouvait se faire sans une terrible souffrance. Nous sommes confrontés à cela dans notre vie de tous les jours. *Quel est le temps que je consacre à l'horizontale et quel est le temps que je consacre à la verticale ?*

Une vie profane est pratiquement entièrement faite de gestes pour la survie ou pour l'affirmation de soi, des courses au bricolage, à l'entretien de la maison, à l'activité professionnelle, à la gestion du budget, à la poursuite d'une œuvre... Une vie « consacrée » posera les pratiques méditatives ou caritatives au centre de son temps. Y a-t-il un troisième terme, une vie consciente qui tente à chaque instant la conjonction de la verticale et de l'horizontale ? Notre époque cherche cette rencontre et dans le même état d'esprit le couple apparaît à beaucoup comme une voie de réalisation, un lien entre profane et sacré. Réussir à vivre harmonieusement une intimité prolongée avec un autre représente une sorte d'épreuve initiatique. Dans certains cas la méditation incluse dans le quotidien est peut-être un alibi à la paresse de pratiquer mais la morale de l'effort et de la discipline ne suffit pas à favoriser l'évolution.

Quel est ce centre, quel est ce cœur situé au croisement de deux directions, sinon l'approche toujours plus subtile de soi-même et de l'autre ? Aimer. Dans une perspective historique, l'amour est comme un cadeau de la crucifixion et de la souffrance, de la soumission douloureuse des femmes, de l'emmurement des hommes dans leur carapace guerrière. Aujourd'hui l'amour nous invite à une fleur de réalisation. **Il y a eu un temps pour la coupure. Il y a un temps pour la jonction.** Les hommes et les femmes s'individualisent, affirment leurs différences, explorent une identité plus androgyne, changent leurs comportements, prennent un espace de liberté et paradoxalement se donnent les chances de se rencontrer dans la fusion comme jamais.

Et si le centre de la croix s'atteignait par cette rencontre toujours plus complète de deux corps, de deux âmes, de deux esprits s'avançant l'un vers l'autre dans un dénuement toujours plus total, une finesse toujours plus présente ? Et si l'émerveillement du divin nous attendait non pas dans la sortie, non pas dans l'entrée mais au milieu, là où nos religions ne sont jamais allées le chercher jusqu'à présent mais où quelques individus ont abordé à leurs risques et périls ?

Dans l'incandescence de la chair, la nudité de l'âme, l'élévation de l'être.

Que signifie la rencontre des deux triangles dans l'étoile de Salomon ? Le triangle du haut représente le besoin d'élévation de l'être et le triangle du bas son enracinement. Le croisement de ces deux triangles donne naissance à l'étoile à six branches qui symbolise aussi une réalisation harmonieuse de l'être réconcilié avec les deux directions fondamentales du masculin et du féminin. Vouloir s'élever n'exclut pas d'avoir les deux pieds sur terre ; puissance et conscience ont la nécessité de se conjoindre, de se marier, de s'infuser mutuellement. Mais tout se passe comme si jusqu'à présent les religions et les sagesses n'avaient guère trouvé de propositions collectives qui intègrent ces deux dimensions.

Le triangle « pointe en haut » a été privilégié par le masculin. Les trois religions monothéistes invitent l'être spirituel à se désincarner, à vivre un allégement, une sortie du corps. Le message collectif enregistré comme une croyance est celui-ci : moins vous vous occuperez des biens matériels et des plaisirs de la chair, plus vous vous approcherez de votre nature divine obscurcie par la pesanteur de la matière et la concupiscence. Purifier son regard, c'est aussi se détacher du monde. La vie terrestre peut être souffrante mais l'au-delà justifie tout.

Le triangle « pointe en bas » tend à amener la conscience dans l'incarnation. Il ne s'agit plus de sortir mais d'entrer. Chaque geste du quotidien devient l'occasion d'exercer un discernement, une qualité de présence. Aucune forme de vie n'est meilleure que l'autre, tout dépend de la présence apportée dans la joie comme dans l'épreuve. L'argent, la sexualité, la sensualité, le plaisir de vivre ne sont plus tabous mais l'occasion d'exercer une sagesse du milieu, de chevaucher une force sans se laisser désarçonner par elle. Notre époque tente de trouver une voie qui conjugue ces deux directions masculine et féminine de la spiritualité, la désincarnation et l'incarnation. Pour l'émergence de l'étoile.

La sortie du conflit intérieur

La prise de conscience de ces quatre piliers de l'amour que sont le besoin d'être aimé, le besoin d'aimer, le besoin de s'aimer, et le besoin d'aimer la vie permet d'accéder à une sortie de l'emprise des conflits intérieurs et extérieurs. Pour l'exprimer autrement, une autre vie commence avec la sortie du champ psychologique et de ses limites délétères.

Pour aborder le voyage de l'amour conscient nous avons besoin de commencer à nous guérir au moins à 50 % de nos manques et de nos névroses individuelles et collectives. La maison de l'amour conscient repose sur quatre piliers, et il faut d'abord réparer, consolider ces piliers avant de vivre sereinement à l'intérieur et s'y déployer.

Une autre manière de parler serait de constater que ce que nous appelons l'ego ne se construit sur des bascs saines que dans la mesure où ces quatre polarités de la personnalité fonctionnent dans une affirmation positive. Tant que l'ego est malade, trop faible, insuffisant, l'être fonctionne en dessous de lui-même, dans la victimisation, dans la revendication, la plainte et le malheur. Toute son énergie est occupée à colmater des trous, à trouver la force d'affirmer son ego et il n'entre que par effraction éphémère dans le royaume de l'amour. Quand la personne est un peu rassurée sur elle-même, sur sa valeur, quand elle a conscience de son pouvoir, elle commence le voyage de l'énergie qui lui permettra le dépassement de l'ego. Et il n'y a pas d'amour sans ce dépassement.

Dans l'ego, on ressent de l'affection, de l'attachement, de l'intérêt, de la considération, de la sympathie mais pas l'amour. Le « je » est là pour nous protéger, nous défendre, nous assurer que nous avons toujours raison mais il ne laisse pas passer l'état d'amour doux, ardent et ouvert. En un sens, la connaissance intellectuelle, livresque de ce processus est inutile. Une personne qui n'a jamais vécu ce dépassement de l'ego ne saura pas de quoi il peut bien être question et interprétera tout cela en termes d'amour-propre ; on ne peut pas non plus demander à une personne qui est en équilibre instable avec elle-même d'abandonner délibérément son ego, elle ne peut tout simplement pas.

Le regard que nous portons sur l'amour ne cesse pas de changer au fur et à mesure que nous évoluons. Il arrive que des personnes particulièrement lucides disent avec un mélange d'étonnement et de tristesse : « Je ne sais pas ce que c'est que l'amour. »

Elles ont trente ans, quarante ans, cinquante ans et plus. Elles ont vécu des relations, elles ont eu des sentiments et des émotions, elles ont blessé, et elles ont été blessées mais elles ne savent toujours pas ce qu'est l'amour. Par contre, nous commençons avec la maturité à entrevoir ce qu'il n'est pas. Et, par instants magiques, l'énergie d'amour est là pleine, il n'y a rien à étudier, à soupeser, juste à vivre et se remplir.

L'amour est possible à partir d'une disponibilité intérieure, d'une certaine qualité de paix. Quand le conflit intérieur concernant l'image de soi et les relations avec les autres n'encombre plus en permanence le champ de conscience, une place existe pour un autre état d'être, plus contemplatif, plus accessible au bonheur, à la joie, à la douceur. Et c'est ainsi que se glisse en nous une disposition au vaste, un accueil, une tolérance, une chapelle intérieure ardente qui brûle jour et nuit, non pas du feu de la passion mais du feu de la présence. La porte du sanctuaire est ouverte et avec elle le risque de l'imprévu. On ne sait pas ce qui va se passer ni quelle forme l'amour prendra. On entretient une relation mais cela ne garantit pas que l'amour sera au rendez-vous. L'amour est là en dépit de la relation, avec elle ou sans elle. Et cet amour est une permanence ; on ne peut le congédier sans s'absenter de soi-même. Que l'autre m'aime ou ne m'aime pas ne change pas fondamentalement la présence de l'amour en moi. Aimer authentiquement quelqu'un, c'est l'aimer toujours quelles que soient les circonstances. Comme dit le chanteur québécois : « Quand j'aime une fois c'est pour toujours. »

Je suis amour pour toi, je t'ai reconnu, je ne peux plus t'effacer de ma mémoire affective essentielle, tu fais partie de moi, en t'aimant je me suis rencontré. Je est un autre.

L'éveil de l'énergie

La seconde partie du livre sera consacrée de manière aussi concrète que possible à la troisième naissance de l'être : la naissance énergétique. La première naissance est physique et n'est jamais terminée puisque ce corps n'en finit pas de changer, de grandir, d'atteindre sa maturité puis de vieillir et que nous devons sans cesse nous adapter à lui, l'accepter, l'habiter en conscience, le respecter, le soigner, l'écouter, découvrir les aliments et le mode de vie qui lui sont favorables. La deuxième naissance est psychologique. Nous avons besoin d'affirmer qui nous sommes, d'être nourris par les autres et de les nourrir pour avoir accès à une solidité de base. C'est seulement sur ce terre-plein que nous prendrons notre envol énergétique. Bien entendu les choses ne sont pas si tranchées. Le parcours ne se fait jamais du un au deux puis au trois sans retour en arrière. La spirale de l'évolution parcourt chaque fois un tour de cercle qui inclut les trois naissances et l'éveil de l'énergie permet une meilleure intégration physique, un regard plus bienveillant sur son ego. Inversement, ces deux niveaux favorisent aussi le troisième et c'est ainsi que dans la spirale évolutive tout concourt à une réalisation de l'être. La souffrance physique et le doute sur soi n'en sont pas pour autant éliminés mais ils peuvent être vécus de manière différente, plus légère en quelque sorte, moins destructrice pour l'âme. L'éveil énergétique correspond à l'écoute d'Éros en soi.

La naissance physique fait appel au premier chakra, centre de base, et aux deux derniers chakras, le sixième entre les sourcils et le septième au sommet de la tête. Entre le premier et les deux derniers chakras il y a comme une liaison directe, sexe-tête, une réalisation archaïque et ultime.

La naissance psychique, l'affirmation de l'ego fait appel au troisième chakra, celui du plexus solaire, et au cinquième chakra, celui de la gorge.

La naissance énergétique proprement dite correspond à l'ouverture du cœur et à l'éclosion du chakra sexuel. Il y a là tout un processus d'harmonisation que l'expérience directe permet de comprendre. Beaucoup de gens héritent de l'idée que le développement des chakras s'effectue du un au deux puis au trois et ainsi de suite mais c'est là une conception qui ne tient pas compte de l'ensemble de la personnalité humaine. Il faut des bases solides pour s'élever et cette élévation doit être forte pour contacter sans sombrer les puissances telluriques et sexuelles. L'alignement d'un être correspond aussi à son unification. Il ne s'agit pas de développer un centre de manière pléthorique mais de favoriser l'éveil de tous les centres de manière équilibrée et selon un certain ordre.

Tout ce qui concerne la survie, la peur est de l'ordre du premier chakra ; les émotions habituelles, joies, peines sont de l'ordre du plexus solaire et l'ego intellectuel se situe dans le cinquième chakra. C'est le sixième chakra, centre intellectuel supérieur, siège de vision et d'intuition, qui est capable de donner la direction et l'inspiration d'une vie. Le quatrième chakra permet de vivre un émotionnel supérieur, et le septième chakra procure à la fois une sensation de reliance et une capacité de dématérialisation. Le deuxième chakra et une partie du premier irradient le feu sexuel.

Chez un être qui n'a pas conscience de lui-même,

les trois premiers centres sont en rivalité pour exercer le pouvoir. Le physique, l'émotionnel et l'intellect se battent pour la prééminence. En développant le sixième et le cinquième chakra on permet à l'intellect de s'harmoniser, puis avec le quatrième et le troisième aux émotions de s'équilibrer, puis avec le deuxième et le premier à l'instinct de dialoguer. L'alignement tête-cœur-sexe développe le potentiel d'évolution. Dans le contexte de notre civilisation, l'énergie sexuelle est à la fois une obsession et un interdit, ce qui complique son intégration dans l'ensemble du processus. Il est vain d'espérer s'élever en ne tenant pas compte de l'énergie sexuelle comme beaucoup de religions ont tenté de le faire. Il est sans doute possible d'utiliser l'énergie sexuelle sans pratiquer la sexualité mais cette voie plus ascétique ne concerne pas le plus grand nombre.

Par contre, il est erroné, voire dangereux de vouloir chevaucher le tigre sexuel sans avoir développé les centres supérieurs et notamment le cœur. Un tantra sexuel pratiqué sans la dimension de la compassion conduit à s'offrir à la dévoration du tigre. Il y a du pouvoir dans le deuxième centre et, sans la discrimination apportée par le sixième centre dans les visages multiples du je, dans les illusions de l'ego, la personnalité sombre dans les labyrinthes du pouvoir sur l'autre. Il importe aussi de bien distinguer entre l'éveil d'un centre et son intégration dans l'ensemble. On n'en finit pas de s'éveiller et d'approfondir l'intégration. Mais, à partir de cinquante pour cent l'harmonisation est suffisante pour qu'à toute question qui se pose dans la vie la personne ait une réponse de sagesse. Tout se passe comme si à la fois elle dirigeait et elle était dirigée. Elle s'émerveille des coïncidences et des résultats parce qu'elle est à l'écoute tout autant qu'elle discrimine. Dans tous les comportements de la vie courante, la personne passe à un autre mode de fonctionnement plus global, plus instinctif, plus positif parce qu'elle est guidée par le désir de provoquer le plus haut potentiel d'énergie possible à chaque instant dans une situation donnée. Au lieu d'avoir une partie d'elle-même qui dit oui et une autre qui dit non, au lieu de vivre intérieurement une guerre entre ses trois centres, physique, émotionnel, intellectuel, elle trouvera la manière d'entrer en relation de manière harmonieuse. Même si l'autre l'attaque par mauvaise humeur, ou toute autre raison qui la concerne, elle trouvera le moyen de la « muter », de la « shifter », en surfant sur une remarque désagréable, en pratiquant l'humour ou même, suprême raffinement, en acceptant d'avoir tort et en envoyant un clin d'œil à son propre ego.

La voie tantrique

Le mot tantra est utilisé en Occident pour introduire le plus souvent une pratique sexuelle ritualisée, une sorte de mise en scène destinée à élargir la vision du célébrant, à apporter une dimension plus sacrée à l'acte sexuel. L'intention est louable mais elle dégage un malaise parce qu'il y a beaucoup de confusion. Nous verrons plus loin que les enseignements traditionnels du tantra sont loin de donner à la sexualité l'importance qui lui est accordée dans ces pratiques. D'autre part, on peut soupçonner qu'un tel apprentissage façonne une sorte de super-ego du bon partenaire sexuel qui procure des jouissances inédites. Le manège enchanté des relations sexuelles est conduit à tourner de plus en plus vite pour ne pas révéler son vide. L'utilisation mal comprise de l'énergie amène à activer le feu sexuel notamment par la respiration, à le faire monter, à tenter de le transformer en lumière parfois en court-circuitant l'amour et le cœur. La personne plane dans une dimension plus ou moins cosmique, elle connaît un orgasme cérébral plus ou moins prolongé, elle est satisfaite de ses performances mais il ne s'agit pas de tantra.

Le tantrique ne s'évade pas, il a les yeux grands ouverts, y compris sur le monde souterrain. Il est un danseur du réel, il établit une jonction entre le ciel et la terre avec le cœur de son humanité. La pratique du tantra est une école de vigilance, une attention accordée de plus en plus finement au monde subtil, une conscience fine qui se passe éventuellement des contacts corporels.

Il n'est pas nécessaire d'avoir l'ambition de suivre la voie tantrique pour ouvrir sa conscience à l'énergie et sa vie à la recherche du divin et de la sagesse. L'humanisme arrive au point où il est amené à considérer que sa réalisation passe par l'exploration de toutes les dimensions y compris celle-là et indépendamment de toute croyance.

L'invitation de ce livre est d'abord une invitation à la réalisation d'un désir de liberté intérieure et extérieure, d'une expérimentation des possibles, d'une éclosion de l'humain sous toutes ses facettes. L'acte sexuel est connu comme un générateur d'énergie et un catalyseur pour contacter un état supérieur de conscience. Autrement dit, l'humain en nous évolue à travers la relation sexuelle parce que la relation sexuelle donne l'énergie de comprendre et de dépasser les polarités masculine et féminine. En nous, le féminin veut aller du bas vers le haut et le masculin du haut vers le bas. Les religions du Dieu Père nous incitent depuis des millénaires à aller du bas vers le haut parce que ce sont des religions imaginées par des hommes et que leur spiritualisation les conduit à contacter le féminin en eux. Comme les femmes prêtresses ont disparu, nous ne savons plus compléter ce mouvement en allant aussi du haut vers le bas. **C'est de la conjonction de ces deux mouvements, du haut vers le bas et du bas vers le haut, que surgit l'union du masculin et du féminin.** La relation sexuelle et le couple sont bien rarement envisagés de ce point de vue et pourtant une relation aussi authentique que possible entre un homme et une femme peut devenir l'occasion d'une profonde transformation. Faire l'amour c'est — souvent en toute inconscience — demander l'accès au divin en soi.

Lorsque ce processus devient conscient, on n'a plus très envie de multiplier les relations mais d'en approfondir une. La sexualité est une voie d'accès mais elle n'est pas un médicament. Elle ne peut pas être suivie par une personne excessivement blessée, négative ou dépressive. Si l'un ou l'autre des quatre piliers de l'amour se révèle défectueux, il faut d'abord s'en occuper. Si l'ego est trop faible, il faut d'abord lui permettre de se débloquer et de s'affirmer. Ensuite seulement l'activation des centres d'énergie conduit aussi à l'épanouissement du centre sexuel.

L'amour comme totalité

« Je suis amour » est une dimension qui est en croissance perpétuelle dans l'être. Elle se révèle progressivement mais elle a toujours été là. Elle est comme une exquise finesse dont la jouissance est voilée par une dépendance très grande à se tourner vers l'extérieur et à chercher à se remplir de stimulations.

Cette sensation intérieure de la présence de l'amour en soi ne dépend pas d'une personne particulière, ni même des circonstances. C'est le soleil intérieur que transportent les êtres qui sont centrés et rayonnants. Comme un grand calme, un lac de sérénité, un sourire du cœur. Cet état est naturel, il constitue le fond de la nature humaine et il est souvent recouvert par un amour extérieur, un amour humain souffrant lié à la présence ou à l'absence de telle ou telle personne. Il n'y a pas de paix possible dans cette manière d'aimer l'autre même si elle paraît très habituelle. L'amour conditionnel : « à cause de tes qualités et bien que tu aies des défauts », ne peut être qu'un amour souffrant. Il court d'illusions en exigences et il n'est jamais satisfait ou si peu. Aimer une personne dans le jeu des attirances et des répulsions, c'est se livrer poings et pieds liés à une guerre inexpiable. Aimer l'autre au creux de ses besoins, de ses projections et d'une certaine complaisance à son propre malheur ne permet aucun apaisement. L'amour traverse. À propos d'une rencontre, il s'éveille en nous et s'enracine comme une totalité inaltérable, un bien précieux, une douceur du cœur qui n'est plus tributaire de ce qui est dit ou fait. Tout amoureux devrait être averti de ce jeu noble entre extérieur et intérieur

144

pour arroser en lui la graine de l'amour sans condition, sans jugement, le bonheur de la sensation d'amour et non pas se livrer au jeu épuisant du « je t'aime ou je te hais » en fonction de la réponse à ses attentes.

« Je suis amour » représente l'amour de la vie, l'amour conditionnel obscurcit cet amour de la vie. L'amour conscient consiste à choisir délibérément d'orienter son attention sur ce trésor intérieur et non sur les allées et venues de la personne aimée. La sortie de la blessure victimisante est à ce prix.

Il est possible d'entretenir à l'intérieur de soi un état de joie permanente. Pour cela, certains ont fait appel à Jésus, Bouddha, ou Marie ; peu importe la manière dont on tente de cultiver cet état, l'essentiel étant de l'avoir capté et chéri suffisamment pour ne plus l'abandonner.

CHAPITRE V

Les fleurs du désir

« Lorsque l'homme découvrira cette source d'énergie qu'est la sublimation de l'amour spirituel-sensuel, c'est comme si pour la deuxième fois dans l'histoire de l'humanité il découvrait le feu. »

Teilhard de Chardin

Le désir
totale réalité et surprenante illusion

Tout désir est dans son essence profonde un appel
pour retrouver le soi et l'unité perdue.

ELLE :

*Le désir est la sève de mon corps. Il est l'eau qui cherche
son ruisseau. Tant qu'il existe quelque part quelqu'un qui
puisse faire monter en moi le souffle du désir, je reste une
vivante.*

*Ce désir, tendu, levé, vibrant me suspend à toi à travers
la distance tout autant que dans la présence. Ce feu du sexe
aimante toutes les cellules, irrigue les canaux subtils, me fait
exister dans la profondeur et me promet l'ultime. La fluidité
du désir n'appartient qu'à l'instant, mais elle inspire toute
la tension de la quête.*

*La sagesse me dit que ce désir de toi n'est pas autre chose
qu'un désir de moi. Mais je ne veux pas encore le savoir. Je
veux goûter l'appel de ta présence. Je veux me rendre réceptive
à ton désir. Est-ce ton désir qui me fait flamber ?*

Frôle-moi, frôle-moi encore, il y a l'infini de la caresse et l'infini de la promesse dans ton approche. Écoute avec moi. Tes lèvres ne sont-elles pas plus ourlées, ta peau plus piquante d'une électricité qui affleure, tout ton corps n'est-il pas plus chaud ? Comme c'est bon, cet appel du désir. Tu es présence dans l'absence. Tu ne quittes plus vraiment ma pensée parce que tu ne quittes plus la brûlure de mon sang. Y a-t-il une étreinte qui puisse apaiser ce que je ressens d'illimité dans ma soif de l'étreinte amoureuse. Tu m'as soulevée de terre et ce geste ancestral redit encore que moi, la femme que tu aimes en cet instant, tu me places au-dessus de toi. Je ne dois plus toucher terre pour t'emmener au paradis des amants. Nous recommençons ensemble l'histoire éternelle du Cantique des Cantiques. Notre première rencontre est une fusion liquide, une révélation toujours recommencée, qui éternise le temps et nous rend vastes. Mais il va falloir apprendre à vivre avec cette attente et ce désir, avec les longues séparations et les brèves étreintes.

LUI :

La rencontre a commencé avec nous et sans nous. Depuis quand nos inconscients se sont-ils déjà palpés, reconnus, tissant de l'un à l'autre des fils invisibles ? Le Dieu Éros nous a choisis, nous a élus, et sa flèche qui jamais ne rate son but est venue se planter en plein centre de notre être, créant un irréversible bouleversement.

Qui de nous deux a vu l'autre le premier ? Les vieilles Parques ont-elles tissé pour nous un destin ? Nous voici entrés ensemble dans un redoutable privilège, celui de l'attirance réciproque, celui du tremblement intérieur. Le désir vient de transformer deux lampes en sommeil en deux lampes allumées.

Le miracle de la vie tient dans la force du désir. Il faut du désir pour que poussent les plantes et que grandissent les créatures vivantes. Tout ce qui est vivant procède du désir. Mais le désir ne devient souvent conscience et présence dans un corps humain qu'au moment de la rencontre.

Tous les sens sont alors exacerbés et nourrissent l'essence subtile : les sons, les odeurs, les sensations du toucher, les goûts, les couleurs donnent à la vie une saveur renouvelée. Confirmée dans sa royauté essentielle, l'âme entre dans sa résonance centrale et le cercle fermé du huit de l'infini entre l'extérieur et l'intérieur commence à tourner dans un sens positif, constructeur.

L'attirance érotique, l'attirance sexuelle est un merveilleux langage de résonance, une musique. Elle a souvent été dévalorisée, dénoncée comme illusoire et dangereuse. Elle est de l'ordre de l'instant et elle peut introduire du désordre dans l'organisation sociale d'une vie. Précisément, le désir ne semble pas se commander et il n'est pas toujours le bienvenu dans certaines situations amicales ou professionnelles. Mais il a quelque chose à dire et il est toujours un cadeau parce qu'il rend plus vivant.

On peut s'émerveiller du concours de circonstances qui permet à deux individus, à un certain moment de leur histoire, de se laisser traverser par cette folie du désir, d'émettre deux notes de musique qui s'accordent pour jouer une symphonie de la rencontre. Toutes les constructions patientes autour de l'intérêt, du pouvoir, de l'argent, de la stabilité affective, de l'invulnérabilité affective se trouvent court-circuitées, débordées par un élan irrépressible. C'est un désir de fusion, d'unité qui se manifeste ainsi, un espoir qui bienheureusement ne s'éteint jamais chez un être car il représente sa

plus grande chance de se relier au sens de l'existence, de ne pas vivre, morcelé, séparé, coupé. Le
surgissement du désir est comme le signal d'un
besoin d'évolution et pouvoir le saluer ainsi au passage c'est lui donner accès à son sens profond. Ce
désir qui nous fait trembler nous remet en marche
vers nous-mêmes.

ELLE :

*Je ris et je chante en moi car nous sommes assis côte à
côte dans un avion et nous volons à une vie active
quelques heures de bonheur ensemble. Je te regarde et j'ose
te laisser entendre cet amour qui m'habite comme un vin
fort mais, toi tu me regardes presque douloureusement et
tu me dis : il y a beaucoup d'illusion dans l'amour. Je
ris et je confirme parce que je me sens la force d'intégrer
aussi l'illusion, de faire que l'illusion devienne réalité.
Encore une autre illusion ?*

Le désir mène au plaisir. C'est une affaire de
peau. « Je l'ai dans la peau. » N'est-il pas prématuré
de parler d'amour, n'y a-t-il pas confusion de sentiments ? Deux personnes peuvent-elles se désirer sans
s'aimer ou inversement s'aimer sans se désirer ?
C'est là que souvent les deux sexes se séparent. La
femme dit que pour elle tout est relié et que désirer
un homme, c'est l'aimer. L'homme souvent distin-
guera soigneusement son désir de faire l'amour avec
une femme et les sentiments d'amour. C'est du
moins la distinction qui s'impose au niveau de la
conscience collective actuelle. Mais plus on avance
dans l'évolution de la conscience et de la sensibilité,
plus cette frontière entre les sexes s'abolit. Un

homme et une femme « évolués » auront tendance l'un et l'autre à privilégier le lien sexe-cœur.

L'influence des grandes religions monothéistes s'est traduite en Occident par un véritable anathème jeté sur le désir et le plaisir. La conscience collective actuelle est encore largement colorée par l'oppression de cet interdit. D'un pôle à l'autre, de l'interdit au libertinage, la même coupure se joue par la dévalorisation d'une tension essentielle de la psyché humaine. Car le désir est une flèche, une dynamique fécondante, et l'art d'aimer demande une culture de l'attente. Nous ne pouvons pas mesurer tous les obstacles que constituent aujourd'hui encore pour la libération de l'être ce nuage sombre mis sur le désir et le plaisir.

Le désir est-il aveugle ou profondément connaissant ? Cet homme et cette femme dont les regards se croisent, s'attardent, s'allument, se disent presque malgré eux leur désir mutuel en quelques secondes. Il lui sourit, elle répond à son sourire, ils engagent quelques mots, échangent leur téléphone, se reverront pour une étreinte de quelques heures, quelques mois ou quelques années. Elle détourne les yeux, il regarde son porte-documents, il s'éloigne. Elle se permettra de revoir en pensée le visage de cet inconnu pour capter encore ce qui l'attirait. Il sourira au profil un peu flou déjà de l'inconnue et au plaisir du choc de leurs regards et il rejoindra ses préoccupations du jour. Ils ont vécu sans pouvoir le formuler une érotisation de l'être sans lendemain.

Dans le flot de nos rationalisations, nous avons peur de l'autre et des désillusions qu'il représente pour les rêves que nous posons sur lui. Mais parfois le désir est comme un torrent plus fort que nos peurs et nous osons suivre son appel, envisager en un éclair que cette personne-là tient précisément la clef d'un apprentissage décisif pour nous.

Et si le désir avait toujours cette prescience-là ? Et si le désir se levait pour nous montrer nos maîtres du moment sur le chemin de la libération intérieure ? Commencer à regarder le désir sous cet angle, c'est se donner une vitalité sans précédent.

Chance et brûlure du désir

ELLE :

J'accepte d'être envahie par le désir permanent de toi. La pensée de toi me remplit comme si ton amour pour moi rejoignait cet élan quelque part dans l'espace pour former la fusée d'un amour qui rayonne au-delà de nous. C'est un peu fou, mais pourtant je sens bien que ma vie baigne dans la grâce depuis que j'ai accepté d'être ainsi envahie, touchée. Ton souffle au téléphone, la pensée de ton souffle me suspend dans un espace d'attente comblée. Le feu devient miel et le miel se fait feu. Et si je dors, ta présence subtile m'enveloppe, je dors sans dormir dans l'éveil du désir qui n'attend rien.

Je ne veux pas savoir ce qu'ont dit les grandes mystiques, les grandes amoureuses d'un homme ou de Dieu. D'ailleurs, la différence est-elle si considérable ? Ne s'agit-il pas toujours de la capacité à aimer ? Toute ma vie m'a conduite jusqu'à cet endroit-là, jusqu'à cette ouverture-là, qui me permet de t'accueillir toi et d'accueillir ce possible en moi.

Il s'est déclenché quelque chose à l'occasion de toi, comme une autorisation d'être habitée par un désir permanent qui loin de me vider me remplit. Ce n'est pas un désir tendu, douloureux de l'absence, c'est un désir plein de lui-même, une certitude que cet état de désirance peut être cultivé comme une chance et un bienfait. Il déclenche dans tout mon corps un fourmillement de vie, un élan créateur. Je sais que tu existes. J'ai intériorisé ton existence.

Je te fais participer à tout ce que je vis, à toutes mes réjouissances, mes découvertes et je veux croire que là où tu es, tu entends parfois comme l'écho d'une musique heureuse. N'avons-nous pas constaté que nous nous réveillons parfois aux mêmes heures de la nuit ?

J'accepte que mon sexe soit disponible et brûlant à une étreinte toujours reculée. Quelque chose mûrit en moi, quelque chose qui a toujours été là, qui a surgi par instants, qui s'est cherché dans la frénésie des corps, dans l'exultation des accords, mais jamais encore je n'avais parcouru ce chemin intérieur de la brûlure du désir créé et recréé pour alimenter le feu de l'amour.

Désir de peau et désir d'âme

LUI :

Je le sais bien, ce désir qu'on dit si grossier, si animal, est toujours un désir d'âme, l'appel de ce quelque chose d'accessible, d'inaccessible que l'autre transporte en lui et qui résonne en moi. Sa sauvagerie, son insolence, sa révolte, sa bonté, son intensité, sa douceur, sa force, je les ai reconnus, entendus. Ce n'est jamais seulement une histoire de fesses ou une histoire de cul, c'est toujours une fascination à un niveau plus profond. Ta manière d'être là, de regarder, d'aimer les choses et les gens, ta manière de sourire, de te tenir, de manger, de rire me parlent de ta façon d'aimer, de ta sensibilité, de tes lèvres, de ton sexe et de ta peau.

155

Je sais, « ils » vont dire que je mélange tout. Que « s'en-voyer en l'air », ce n'est pas une histoire d'âme. C'est eux qui ne comprennent rien.

Certains hommes passent toute leur vie à changer de partenaire sexuelle plusieurs fois par semaine, et sont désespérés de ne pouvoir faire l'amour à toutes les femmes. Ce sont des mystiques qui s'ignorent. Il vivent dans leur pôle masculin comme dans un camp retranché. Ils n'ont jamais pris le risque de s'ouvrir à l'amour donc d'intégrer leur âme fémi-nine. Désespérément, ils tentent par l'extérieur et la quantité de faire face à leur vide. En se droguant de sexe, ils se droguent de présence féminine sans rien pouvoir intérioriser. Mais c'est bien un appel d'âme qui leur fait collectionner des femmes avec des airs grivois et gourmands. Peur de ne plus dési-rer, peur de la répétition qui effrite le désir, peur de plus être désiré, reçu, peur de perdre la toute-puissance dans le plaisir : « J'aime faire jouir une femme », « J'aime qu'elle me dise qu'elle n'a jamais joui comme avec moi », « J'aime la rendre folle », « J'aime qu'elle m'aime ». Dans ce culte du désir, le frémissement de la nouveauté remplace la profon-deur de l'apprivoisement réciproque. L'amour du désir est vécu comme une coupure du désir d'amour.

L'institution sociale de la monogamie n'a jamais effacé le désir de polygamie des deux sexes. Pour la femme, l'interdit sur l'adultère a été si violent, si longtemps puni de mort, que des générations de femmes l'ont intériorisé, perdant contact avec leur côté indomptable. Mais la tolérance pour les hom-mes a toujours été plus grande et ils sont nombreux à considérer que leur liberté sexuelle fait partie de l'affirmation de leur virilité. « J'ai besoin de diversité », « Je sens que je peux aimer plusieurs femmes à la fois ».

Dans beaucoup de livres, écrits bien sûr par des hommes, on trouve l'affirmation que la femme serait monogame par souci de nidification, là où l'homme resterait éternellement polygame. Cette « vérité » ne tient compte que d'un contexte patriarcal. La nature féminine dans son processus d'accession à elle-même et de libération intérieure retrouve son côté sauvage, sa sexualité instinctive de Déesse-Mère et le puzzle de son homme intérieur qui l'amène parfois à rencontrer plusieurs hommes, y compris sexuellement.

De la même manière, l'homme qui avance vers sa féminité intérieure aura parfois besoin de plusieurs visages de femmes à l'extérieur. En ce sens, l'évolution menace l'ordre social monogame. Est-ce pour cette raison que le tracé d'une complétude masculin/féminin est à ce point gommé depuis toujours de notre éducation ? Nous n'apprenons pas que pour aller vers nous-mêmes, nous avons besoin d'intégrer notre féminin ou notre masculin, notamment à travers nos rencontres de l'autre sexe. Le désir qui me porte vers l'autre est une illusion, car ce que je cherche n'est jamais chez lui mais il est aussi une totale réalité car le désir porte en lui sa réponse par son intensité même.

Le désir ne tient compte que de l'instant, l'amour veut la durée.

TÉMOIGNAGE :

« Je ne peux pas dire que je l'aime, je peux dire qu'il me plaît, qu'il m'a plu. Au bout de quelques secondes la qualité de sa présence m'étirait, m'affinait et derrière les mots la communication s'établissait subtilement. Mon regard se faisait lointain et le sien plus aigu. Le désir d'âme a surgi tout de suite entre nous. Le désir de peau est venu ensuite pendant les longues heures d'un trajet en voiture que nous avions à partager. C'était délicieux, tangible et impalpable à la fois, d'autant plus délicieux que rien n'était possible dans les contraintes du programme. Je repoussais ce désir par tous les arguments rationnels possibles mais nos voix au téléphone nous trahissaient. Nous nous fixions des rendez-vous que nous annulions en dernière minute à tour de rôle sans pouvoir faire autrement parce que nous étions pris dans l'engrenage des engagements mais aussi parce que nous avions peur. Et pourtant le désir grandissait comme à notre insu et quelques mois plus tard quand nous nous sommes revus ce fut foudroyant d'évidence. Le désir a-t-il une telle mémoire ? Tout nous séparait, les continents, les liens engagés, les contraintes professionnelles. Nous savions tout cela et pourtant l'instant avait son poids de présence. Quand nous nous sommes quittés dans cette nuit froide, sur ce trottoir inhospitalier, il y avait comme un bruit de tissu qui se déchire. Stupidement nous avons dormi séparément dans nos lits froids, mais nous avons dormi avec ce Désir devenu si énorme qu'il nous habitait entièrement. Qui a appelé l'autre au matin ? Il n'y avait plus de résistance. Qui a rejoint l'autre dans le lit encore tiède ? La rencontre eut la force du désir. Elle se suffisait à elle-même. Le ruissellement du plaisir a son immensité. »

Entre ces deux êtres il n'y a pas de projet d'amour. Ils s'apprécient, ils s'estiment, ils s'admirent même dans leurs métiers réciproques. Le désir qui surgit entre eux a quelque chose d'archaïque et d'ultime. C'est une relation sexe-tête où le cœur reste sur le terrain de l'amitié, de la bienveillance réciproque. Il y a quelque chose d'incomplet dans une telle relation. Mais en même temps sa fulgurance énergétique lui donne un aspect de pureté, de netteté, d'éclat immédiat. C'est une rencontre de diamant que rien ne viendra ternir.

Amour du désir et désir de l'amour

Aimer le désir, c'est lui reconnaître de la valeur et c'est aussi le cultiver en développant ses capteurs sensoriels. La spontanéité du désir déborde de toute part le langage des mots et obéit à sa propre logique. Mais il existe une intelligence du désir reliée à la vie, au vivant en nous. Cet homme et cette femme sont bousculés par le désir, ils ne sont pas du même milieu social, ils n'ont pas la même culture, ils habitent à des kilomètres l'un de l'autre. Et pourtant...

Chaque fois que le désir surgit, nous pourrions le saluer comme un cadeau, le savourer dans l'intimité du corps au lieu de tenter de le réprimer.

Nous sommes encore éduqués dans l'idée que ce qui vient du sexe est dangereux, honteux même. Une puissance indomptée est à l'œuvre et son irruption signifie désordre. Notre civilisation continue d'être gouvernée par une coupure entre le sexe et la tête. Certes cette coupure est moins apparente aujourd'hui qu'il y a un siècle. Mais profondément elle continue ses ravages. Même si la sollicitation du désir est constante, notamment par les publicités, le désir reste un risque que seule la fougue adolescente est prête à assumer maladroitement et souvent dans la souffrance. Pour les autres, le rêve se réfugie sur papier glacé ou sur écran couleur.

Les maladies sexuellement transmissibles comme le sida contribuent encore à cette connotation négative du sexe. La peur de la mort vient faire alliance avec la peur d'aimer. Le désir, lui, continue de passer, de surgir comme une source souterraine. Mais on peut obstruer la source avec des pierres aussi longtemps qu'on ne prend pas conscience du besoin vital de l'eau pour fertiliser la terre. **Nous sommes nous aussi des terres assoiffées de l'eau du désir.**

Notre attitude vis-à-vis du désir se construit très tôt dans l'enfance. Les enfants sont des êtres pétris de sensualité quand ils ne sont pas cassés par l'éducation. Tout leur est plaisir et intensité, tout s'imprègne sur eux comme une cire vierge. Le mental ne s'interpose pas entre eux et leurs sensations : ils vivent dans l'énergie tant que le langage, surtout écrit, ne développe pas leur cerveau gauche. L'extase est une fonction naturelle de l'être humain et l'activité sexuelle en est le feu. Les enfants sont habités par un feu sexuel intense qu'ils entretiennent pratiquement sans discontinuer quand ils ont la possibilité de choisir leurs jeux. Certains adultes sont très répressifs vis-à-vis de cette vitalité onirique des enfants, d'autres au contraire très permissifs. Mais ce qui fonde la personne, c'est la manière dont l'enfant protège son droit au plaisir. Se soumettra-t-il à l'image que l'adulte lui renvoie de son état d'enfant, se rebellera-t-il secrètement pour protéger son territoire intime ? L'amour du désir prend racine dans ces premières années. L'enfant entend très tôt la condamnation implicite posée sur le sexe. Il décide soit de faire une impasse sur ses sensations, soit de les préserver et de ne se fier qu'à elles. Une grande part de son évolution créative se joue à ce moment-là. Pendant l'enfance et l'adolescence le poids des croyances vient étouffer temporairement cette force initiale, mais l'adulte aura la possibilité de la retrouver à l'occasion d'un choc ou d'une évolution, ce qui est parfois la même chose. Pour chacun d'entre nous, homme ou femme, l'amour du désir doit se réassumer, se choisir. Il se rattache en nous à la partie indomptée et souvent secrète parce qu'il ne s'agit pas d'une valeur acceptée socialement.

Pourtant, les êtres qui cultivent l'amour du désir sont des pôles de rayonnement pour leur entourage. Il portent en eux une souplesse et une tolérance naturelle. Ils s'autorisent intimement à ressentir le plus pleinement possible. Ils ne sont pas présents avec les raisonnements de leur tête. Leur sens sont ouverts et ils sont nourris constamment par une érotisation de l'être. C'est peut-être à la qualité de la peau et au brillant de l'œil que l'on mesure quelque chose d'aussi peu mesurable. Il est évident que nous ne sommes plus dans le seul désir sexuel mais dans le désir de vie. Ces êtres ont-ils une vie sexuelle plus intense que les autres ? Pas nécessairement, parce que leur désir s'étend à tout le vivant et qu'il est en quelque sorte plus océanique que localisé.

S'autoriser à désirer, c'est ouvrir une voie d'accès à la nourriture de l'être, c'est aussi dépassionner le sexe, lui enlever de son empire. **Éros n'est pas sexuel mais sensuel.**

Autant l'amour du désir est clandestin, autant le désir d'amour est licite, prôné, encouragé. Ce désir d'amour est fait du désir d'être aimé, du désir d'aimer l'autre et il ne cesse de grandir, d'éclore comme une fleur qui ignore encore jusqu'où ses pétales pourront se déployer dans l'espace et quelle sera la sensation de son plein épanouissement. Mais parfois ce désir d'amour se gèle, se racornit et rencontre des prédateurs. La qualité d'une vie se mesure peut-être à l'accroissement du désir d'amour : faire de sa vie une occasion croissante de rencontrer l'amour, d'incarner l'amour, de le porter à son plus haut point d'incandescence.

La coupure de l'ego et l'amour du pouvoir

Le plus grand obstacle à notre désir d'amour est en chacun de nous. Comment se défendre et se protéger, comment répondre à la peur de mourir, au besoin de survivre, sans devenir un combattant, sans se durcir, sans écraser pour ne pas être écrasé, sans renforcer ses positions en accumulant de la puissance ? Dans le grand mouvement d'affirmation de soi, l'ego se constitue. « Qui suis-je ? » Le « je » s'identifie à toutes les identités flatteuses et positives qu'elles viennent de la famille, de l'école, des amis, puis de la position sociale, du niveau de fortune, de la réussite financière et sociale. Par contre, toutes les identités négatives et dévalorisantes sont soigneusement écartées dans une vaste entreprise de mensonge personnel qui éloigne l'être de lui-même. Dès lors, la coupure s'amorce et se précise. Pour pouvoir conforter son personnage, chacun vivra davantage avec le contrôle du mental. Il n'est pas possible de s'abandonner à l'imprévisible si je dois soutenir mon image. Le jeu de l'ego se trouve en rivalité avec les surgissements du désir. L'ego a besoin pour se renforcer de toujours plus de pouvoir, d'activités, de réussite. Le désir souhaite flâner, s'attarder, contempler, jouir. Dans son mouvement d'expansion, l'ego progressivement rétrécit la sphère du plaisir. Le très violent goût du pouvoir prend la place, toute la place jusqu'à ne plus laisser passer qu'un ressentir de surface qui ne nourrit plus l'être en profondeur.

L'émergence individuelle qui caractérise notre époque s'accompagne aussi nécessairement d'un renforcement des ego. L'affirmation de soi fait partie du dépassement de la soumission et de l'esclavage, que ce soit à l'égard des parents, de l'éducation, de la société et de ses valeurs, ou du milieu professionnel et familial. L'affirmation de soi, c'est s'autoriser à penser par soi-même et agir en restant fidèle à soi, pouvoir dire non et pouvoir dire oui. « Deviens qui tu es », disait Nietzsche, « Va jusqu'au bout de toi-même », « Accomplis ta légende personnelle ». Toutes ces formulations visent à fortifier cet élan individuel de reconnaissance de soi, de révolte contre les chaînes et contre les murs qui enferment.

L'ego se situe dans le plexus solaire. Sur le trajet vertical qui relie le sexe au cœur, le plexus solaire constitue un obstacle majeur. Toute notre civilisation occidentale est en quelque sorte bloquée à ce niveau d'évolution. Le plexus solaire de l'humanité commence à être outrageusement développé, du moins en Occident.

Comment franchir cette barrière de l'ego ? Le désir coupé du cœur tourne à vide sur lui-même et ne trouve à alimenter que l'image narcissique de soi. Il est la plupart du temps sous contrôle et n'apportera guère de surprise. Un homme puissant ne s'intéressera souvent qu'à une femme puissante et inversement car il s'agit toujours de renforcer la forteresse. L'homme d'argent cherchera la star connue car chacun convoite la puissance de l'autre, il en est de même dans toute rencontre. L'ego fait son programme et le désir doit l'alimenter. C'est ainsi que les polarités opposées font bon ménage, non pas comme on le croit souvent parce qu'elles se complètent, mais parce qu'elles offrent un programme d'échange.

Je veux devenir ce que tu es. En te désirant je me propose d'incorporer ce que tu es.

Le désir au service de l'ego est toujours cannibale.

Il est aussi consommation. *Je te prends et je te jette.* Il s'alimente sur la nouveauté venue du dehors puisqu'il est incapable de se renouveler de l'intérieur.

La voie de passage vers le cœur s'ouvre souvent à l'occasion d'épreuves, maladie, mort d'un proche, échec cuisant, qui forcent à un repli sur soi, à une mise en question. Il n'y a pas de passage au cœur sans un lâcher-prise, une acceptation d'une identité moins flatteuse, un retournement de l'être. Jusqu'alors la tête était orientée vers le bas, maintenant elle se trouve orientée vers le haut. Changement de perspective. Changement de valeurs.

La rencontre amoureuse soulève temporairement l'être pour lui permettre de vivre au niveau du cœur.

Mais il n'existe pas de stabilisation durable sans que l'humilité apporte son humus. Cessant de vouloir avoir le beau rôle, l'être acceptera de recevoir, il passera de l'actif au passif, du masculin au féminin de l'être. Dans ce mouvement, le désir retrouvera une autonomie qui lui permettra d'accéder à son rôle instinctif de stimulateur de l'évolution.

Le paradoxe du désir

Oui, le désir constitue bien un moteur d'évolution mais il est aussi un piège. Il veut faire advenir ce qui n'est pas encore. Il est tension « vers », flèche fécondante et blessante parfois mais aussi totalité de présence à soi et à l'autre. Dans mon mouvement de désir, je cherche à t'englober, je souhaite refermer mes bras sur toi, je veux faire cesser cette tension et me reposer enfin dans la complétude. Mais si je t'incorpore, je cesse de te désirer. Tu n'es plus une liberté, ton amour pour moi n'a plus de valeur. Au creux de l'accomplissement du désir se cache la mort du désir. Dans la sagesse des choses j'accepte de garder la tension et le risque.

Le sentiment amoureux nourri de désir est volatil et il aime le souffle de l'aventure, du dépassement. En ce sens l'institution du mariage est un poison pour l'amour et le désir. Deux libertés tentent de s'aliéner l'une à l'autre.

Si je t'aime, j'ai toujours peur que tu ne répondes pas à cet amour, mais si tu me promets à jamais ton amour, comment puis-je encore te chercher, t'espérer ?

Parmi les choses fondamentales que nous avons

165

besoin de garder en lumière dans cet apprentissage de l'amour, il y a ce respect de la liberté.

Deux libertés en mouvement. C'est si facile à dire, si difficile à vivre. *La Leçon de piano* est un merveilleux film d'amour dans lequel apparaît le rôle de la liberté dans l'éclosion de l'amour. Ada est devenue muette à la suite d'un choc psychologique, sans doute la mort ou le départ du père de sa fille qui était aussi son amant et son maître de musique. Il ne lui reste pour s'exprimer que son piano. Son père l'a mariée à un inconnu dont elle doit partager la vie au fond du bush. À son arrivée, Stewart, son mari, refuse le piano qui reste sur la plage, livré à l'action corrosive du sel. La culture et la finesse d'Ada s'accommodent mal des rusticités du maître de maison et il ne réussit pas à établir avec elle des liens d'intimité. Il ne comprend pas que refuser son piano, c'est comme la priver d'une vie de l'âme et se fermer tout accès à son affection. C'est un voisin, Barnes, qui va aider Ada à retrouver son piano au prix d'un étrange marché. En se soumettant à ses fantasmes au cours de soi-disant leçons, elle regagnera touche par touche ce piano qu'il a acheté au mari contre quelques arpents de terre. Le désir et l'amour ouvrent comme par effraction ces âmes fermées et solitaires. Barnes achète la complaisance d'Ada jusqu'au moment où il comprend qu'il se ferme en même temps toute possibilité d'amour réciproque. Il ouvre alors la cage, renonce à la tenir par son chantage, renonce à son plaisir de la voir. Il lui rend son piano, elle n'a plus de prétexte pour venir, si elle vient encore ce sera par amour.

Il a commencé à aimer sa liberté, il commence à l'aimer. Il faut qu'une âme ait accompli un véritable voyage vers elle-même pour qu'elle traverse le désir d'accaparement, la peur de perdre et qu'elle s'ouvre à un autre niveau de plaisir : être choisi, aimé par un être libre. Parce qu'il atteint cette profondeur, Barnes permet à Ada d'avoir suffisamment d'espace pour reconnaître sa propre attirance, sa brûlure d'amour.

Lorsque leurs corps nus s'atteignent, il y a comme une infinie douceur qui se dégage de cette étreinte comme si deux soifs commençaient à s'étancher. Le mari qui a trouvé une alliée inattendue dans la petite fille surprend les deux amants. Il assiste en voyeur à leur scène d'amour, son propre désir insatisfait s'enflamme. Il s'efforce maladroitement de conquérir Ada et de l'enfermer pour qu'elle ne puisse plus rejoindre Barnes. Stewart aussi est touché par l'amour, mais cet amour repoussé fait de lui un être blessé, blessant. Il s'acharne à vouloir posséder physiquement Ada et chaque fois il échoue sans comprendre qu'il lui faudrait d'abord toucher son âme.

Croyant qu'Ada ne veut plus le voir, Barnes s'apprête à partir. Ada tente de lui faire parvenir un message par sa fille mais celle-ci la trahit et avertit Stewart. Dans un accès de rage sauvage, celui-ci coupe un doigt de la jeune femme, ce qui est une manière de tenter de la châtrer de son désir et de son initiative. Stewart emporte Ada évanouie, endormie, il la veille et à son tour sa conscience s'ouvre. Il comprend qu'il doit ouvrir la cage, la laisser partir avec Barnes. Auparavant, il a eu avec Ada comme une sorte de contact télépathique puisqu'il témoigne avoir entendu sa voix dans sa tête. Stewart sort grandi de cette histoire, son visage est différent, comme éclairé de l'intérieur.

Un nouveau voyage commence pour Ada, celui des retrouvailles avec sa propre voix. Dans la barque qui les emmène, le piano risque par son poids de les conduire au naufrage à tout instant. Ada choisit de laisser le piano glisser au fond de la mer et le mouvement de la corde qui engloutit l'instrument l'accroche au passage, l'emmène dans les profondeurs. C'est en plongeant au fond de son inconscient qu'Ada se libère de son mutisme.

En acceptant de perdre ce substitut à sa voix qu'était son piano, elle ramène le son de sa voix. Ainsi, tout au long de ce film, la véritable leçon réside dans cette acceptation de perdre ce à quoi l'on tient pour **passer d'une convoitise à une ouverture : l'amour est à ce prix.**

La folie du désir

Le comportement de Stewart montre que le désir contrarié et parfois non avoué porte en lui une terrible puissance de meurtre. Comment parler du désir sans faire entrer en scène son corollaire : la violence.

Le désir est en nous comme un animal sauvage, indompté. S'il est beaucoup réprimé il devient bouillonnant donc dangereux.

TÉMOIGNAGE :

« Je le vois tous les jours, je travaille avec lui, il est médecin, je suis infirmière. Depuis six mois nous nous effleurons, nous nous caressons, par la voix, les regards, les rires, les attentions. Le désir est tellement monté entre nous, que je me sens complètement envahie. Je ne pense plus qu'à lui, je me rejoue le film de toutes les paroles, les gestes que nous avons échangés. Je tente de repérer tous les signes qui me confirment son attirance pour moi. J'invente des scénarios dans lesquels j'accepte que nous parlions de ce que nous ressentons l'un pour l'autre. Dès que je suis en sa présence, je fais marche arrière comme si je voulais conserver encore cette tension du non-dit, du non-vécu et tellement désiré. S'il m'invite, je m'arrange pour refuser. Mais la pression devient si forte en moi que je sais bien qu'il faut que je laisse les choses évoluer entre lui et moi. Il faut dire que lui est divorcé et relativement libre même s'il a des petites amies. Moi, je suis mariée et je n'ai pas l'intention de bouleverser ma vie de famille. D'ailleurs, depuis que je suis amoureuse de lui, je me sens beaucoup plus proche de mon mari, beaucoup plus vivante. Peut-être qu'il apporte dans ma vie cette dimension de feu et de désir qu'un couple qui vit ensemble depuis longtemps ne sait pas très bien entretenir. »

Dans son témoignage Dominique reconnaît son plaisir, sa chance de ressentir ce qu'elle ressent : « Il y a longtemps que je n'avais pas éprouvé une intensité pareille en moi », et en même temps elle résiste à ccttc attirance. Elle est en quelque sorte clivée dans le désir-résistance. Et la pression monte jusqu'à devenir insupportable.

Elle avoue : « Je suis follement amoureuse. » Et elle n'aime pas ce sentiment de dépossession. Elle se méfie de cette folie qui pourrait lui faire mettre en danger son rôle d'épouse, de mère de famille, tous ces liens qui lui sont chers aussi.

L'image adaptée à cette situation est celle de « chevaucher le tigre » et non de tomber par terre et de se laisser dévorer par lui.

169

Le feu peut être utilisé pour cuire et chauffer, bien qu'il constitue aussi une force destructrice terrible dans un incendie.

Dominique se réveille dans sa force de désir et d'amour par sa rencontre avec cet homme. Elle peut se comporter de manière ravageuse en laissant la femme indomptée en elle prendre le pas sur la femme sage. La femme indomptée saccagera tout.

Elle se conduira avec tant d'exigence avec son amant que celui-ci ne pourra que s'éloigner. Elle fera tellement souffrir son mari que celui-ci se mettra à fuir dans la boisson, la maladie ou envisagera de la quitter. La femme sage se servira de ce surplus d'énergie pour rendre plus heureux tous ceux qui l'approchent. La grande difficulté de vivre deux amours ou deux relations vient du sentiment de culpabilité latente qui reste attaché à un comportement hors norme. Il n'y a qu'une personne assez solide, assez centrée, assez libre pour redéfinir son bien et son mal, qui puisse s'autoriser sans se détruire à inventer le mode de vie qui lui convient.

En terme d'évolution, il n'y a pas de règle. La société, elle, s'est toujours efforcée de canaliser le désir dans des limites bien définies. La plupart des êtres s'y soumettent et s'assoupissent doucement, se contentant de petites brèches un peu plus vives, vécues en parenthèses et par effraction. Un être qui avance vers sa libération intérieure ne peut qu'un jour ou l'autre descendre plus profondément en lui et retrouver son désir. Les problèmes commencent, et les nouvelles solutions arrivent. Plus un être se libère, plus il s'autorise le vin fort du désir. Ce qui ne veut pas dire qu'il se laissera aller à l'ivrognerie.

La folie du désir, c'est d'être coupé de son intériorisation. Tout entier projeté sur l'objet de désir, il devient obsessionnel, névrotique. Le désir de toute-puissance qui est au fond de l'affirmation de soi manifeste une impatience, une exigence impérieuse et, en cas de résistance, une violence destructrice. Je détruis ce qui résiste à mon désir.

Quand mon désir porte non plus sur un objet, ou sur quelqu'un identifié à un objet, mais sur un sujet, une liberté, il souhaite rencontrer le désir de l'autre. Et parfois la toute-puissance consiste précisément à exacerber ce désir. Dans les raffinements de la séduction féminine, le visage de cette toute-puissance sur le désir de l'homme est la femme séductrice, la femme sexy et même la femme fatale.

Folie de prendre, d'envahir, d'assujettir, de posséder, de contrôler, de manipuler, de jouir, de provoquer. Folie de pouvoir sur l'autre. Il y a dans le désir une folie de pouvoir à l'état le plus brut, le plus corporel mêlé à un désir de fusion d'unité qui, lui, est sainteté. On reprendra la formule paradoxale qui caractérise le couple : la sainte folie du désir.

Le désir contient la double promesse de se trouver et de se perdre. Pourquoi la justice manifeste-telle une indulgence pour les crimes passionnels ? Parce que la conscience collective s'accorde à reconnaître que l'état amoureux est à la limite de la dépossession, que l'enveloppe du personnage social est franchie par chacun sous l'emprise de cette force archaïque et ultime.

N'oublions pas ce double visage.

Les exaltations du désir

Un désir non reconnu est une source importante de mensonge personnel. Beaucoup de romans et de films sont construits sur des scénarios dans lesquels les héros, hommes et femmes, se mènent une guerre d'usure, se mesurent, rivalisent, se mettent en danger réciproquement, physiquement ou financièrement ou moralement, tout cela pour se cacher à eux-mêmes et cacher à l'autre l'attirance qui les habite. Les romans sont bien souvent tissés sur cette tension dramatique.

L'image de soi ou l'orgueil de soi blessé se met en travers d'un abandon au désir et à l'amour. Curieusement d'ailleurs, la profondeur de l'amour se construit sur ce détournement haineux du désir. Dans ce cas, l'histoire finit bien. Tout se passe comme si le désir était tellement suspect qu'il fallait qu'il fasse ses preuves en passant par des épreuves. Mais, souvent aussi, cette haine débouche sur la destruction et l'histoire vire au drame.

Des différences de fortune, de classe sociale, d'éducation, de culture, d'âge sont souvent à l'origine d'un désir non reconnu qui s'exprime dans une résistance. Le désir a court-circuité l'ego, bousculé les critères et la personne n'est pas prête a céder devant ce surgissement d'un aspect d'elle-même qu'elle ignore. Bien des comportements oppressifs, maître-esclave, ont comme source le désir inconscient du maître pour un esclave jugé indigne. Il s'ensuivra toutes sortes d'humiliations, de harcèlements négatifs destinés à écraser moins la personne que ce désir sous-jacent. Les patrons avec leurs secrétaires, les chauffeurs, les jardiniers avec leurs patronnes, les intellectuels avec les artistes, ou les manuels, les gens âgés avec des gens plus jeunes. Toutes sortes de décalages se vivent ainsi douloureusement et suscitent des exaltations négatives.

Cet homme d'affaires à la retraite, très cultivé, s'était engagé dans la rédaction d'un livre et ne parvenait plus à trouver l'énergie de le poursuivre, de mettre ses notes en ordre. Il rencontra une jeune femme sans travail et l'engagea d'abord à l'essai comme secrétaire. Sa jeunesse, son charme, sa forme d'intelligence pratique, directe le stimulèrent et la collaboration s'avéra très fructueuse. Une forme d'intimité affective et intellectuelle se tissa ainsi. Quand à certains comportements il crut deviner qu'il y avait dans la vie de la jeune femme un nouvel amour, il entra d'abord dans un mutisme inexpliqué puis peu à peu devint irritable, désagréable. Leur travail s'en trouvait perturbé. La jeune femme subissait des critiques acerbes avec de moins en moins de patience et de docilité. Elle finit par lui envoyer son manuscrit à la figure avant de faire une sortie coléreuse sur un ton définitif. Tout était gâché. Ils avaient l'un et l'autre un sentiment de perte qui les laissait désorientés. Elle était devenue pour lui l'incapable écervelée et orgueilleuse. Il représentait pour elle le vieux tyran, égoïste et injuste. Ils étaient entrés dans le jeu des projections négatives. Il ne voulait pas savoir qu'il était lui-même incapable et orgueilleux. Elle ne voulait pas prendre conscience de son égoïsme et de sa tyrannie dans son pouvoir de femme.

Ils se cachaient à eux-mêmes la profondeur du sentiment d'amitié amoureuse qui les unissait. Ce n'est qu'en reconnaissant ce mensonge personnel qu'ils traversèrent le conflit et renouèrent ce lien précieux.

Chacun est susceptible de déposer sur l'autre des projections négatives issues du reniement de sa propre ombre. Quand nous déclenchons ainsi des passions négatives sur nos subordonnés, nos supérieurs ou nos voisins, nous pouvons toujours chercher un **Éros inversé.**

De la même manière, l'exaltation positive procède par projections. Je vois chez l'autre quelque chose que je transporte mais que je n'incarne pas, que je ne sais pas comment manifester et que j'admire d'autant plus.

Un homme ayant une belle âme, très poétique, mais ne sachant pas la canaliser dans une forme d'expression sera ainsi éperdument amoureux d'une artiste déjà en voie de réalisation et de réussite, lui attribuant toute sa propre dimension. En somme il sera amoureux de lui-même par personne interposée, mais d'un lui-même encore à naître. Sans doute trouve-t-on toujours dans le phénomène amoureux ce système de projection, cette demande du double qui fonctionne en complémentaire. *Tu es ce que je ne suis pas et ce que je tends à devenir pour me révéler à moi-même.*

Toi mon semblable si opposé je vais me servir de toi pour accéder à moi-même, mais peut-être aussi vais-je me servir de toi pour me dispenser de moi-même.

Tout le blocage d'énergie du couple se situe là. *Ton image devient si vaste, si royale que je ne m'accorde plus de place. Tu es mon soleil et je suis ton ombre. J'ai oublié que je t'avais choisi comme soleil pour devenir moi-même soleil.* Les exaltations du désir se nourrissent d'une promesse d'agrandissement, d'élargissement mutuels. *Cette douceur qui me fait fondre chez toi est aussi la mienne, celle que je n'ai jamais pu vivre avec personne.* Résonance et affinités sont au service d'une éclosion mutuelle.

Les exaltations du désir se présentent comme des jeux d'illusion transitoires et nécessaires dans la recherche et l'affirmation de soi. Cette communication dans laquelle la conscience tente d'établir une ascèse conduit aussi au point de jonction privilégié des temps de communion.

Les sublimations du désir

Le désir m'amène à te placer sur un piédestal et je découpe dans la réalité tout ce qui me permet d'entretenir l'image qui me convient, c'est-à-dire aussi l'image qui flatte mon ego. Toujours dans l'optique où le désir a besoin d'être rédempté, le fait que je t'érige une statue me libère du poids de culpabilité et de faute inhérent à tout désir.

Beaucoup d'êtres ne peuvent ainsi désirer et aimer qu'en se dévouant à l'être aimé. Remarquons qu'il y a un narcissisme sous-jacent à cette attitude.

C'est parce que je suis quelqu'un de très bien que je ne peux être amoureux que d'une personne de valeur.

Pour une jeune fille le fait d'être amoureuse d'un bon à rien sera toujours beaucoup plus coupable que le fait d'être amoureuse d'un banquier ou d'un ingénieur. Quand le désir est légalisé dans l'ordre de la société, il cesse d'être perçu comme dangereux.

L'exaltation est de l'ordre de la projection inconsciente, positive ou négative, la sublimation rejoint davantage l'ordre du sur-moi et les valeurs sociales. Il s'agit d'un processus d'ennoblissement, d'idéalisation. La blessure d'amour-propre effarouche Éros mais bien souvent l'idéalisation le fait fuir aussi.

Elle avait vingt ans et elle était très jolie, cette jeune étudiante, quand elle arriva de Paris pour mener à bien des enquêtes sociologiques dans cette petite ville de province. Lui, il était déjà hors norme, plus âgé, solitaire, intense. Il l'accompagnait en promenade pendant de longues heures, lui montrant les aspects poétiques et insolites de sa ville. Il lui tenait la main, lui embrassait les cheveux, effleurait parfois sa bouche. Et puis il rentrait et lui écrivait pendant de longues heures. Elle avait déclenché chez lui une exaltation poétique. Elle était sa muse et il la vénérait. Il écrivit ainsi un recueil de poèmes, venant la voir de temps en temps à Paris pendant une année. Mais jamais elle ne se laissa approcher. Son adoration la glaçait. Quelques mois plus tard, elle se maria avec un autre, le laissant avec sa blessure ouverte...

Avec ses longs cheveux bruns et son visage pâle, elle ressemblait à une vierge. Il venait la voir tous les jours dans ce magasin qu'elle ouvrait à heure fixe. Parfois, pendant quelques minutes elle acceptait qu'il la prenne dans ses bras dans le réduit qui servait d'arrière-boutique. Il fermait les yeux, il avait parfois l'impression que son cœur allait exploser. Il l'aimait intensément, immensément. Il avait parfois l'impression que leurs deux corps subtils se fondaient l'un dans l'autre. Ces quelques minutes le nourrissaient pour toute la journée. Parfois aussi ils parlaient ensemble de longues heures. Elle lui fit comprendre qu'elle avait fait un choix de vie provisoirement sans sexualité. Loin de le décourager, cette ascèse l'enflamma encore davantage. C'est ainsi que cet homme, amoureux ardent, connut la première **sublimation de son désir.**

176

Un désir qui n'atteint pas son accomplissement sur un plan peut trouver son expression sur un autre. Combien de poèmes, combien d'œuvres littéraires sont ainsi nés d'un désir en attente. La source ne se confond pas avec la personne, le désir déborde de toutes parts l'être désiré et nourrit l'intériorité. Nous sommes trop peu éduqués à cette compréhension qui nous renvoie à notre liberté.

Le désir de l'autre, du corps de l'autre, de la présence de l'autre semble parfois une aliénation fondamentale, une cause de souffrance et de désolation. Mais le désir est une chance et on peut toujours remercier au moins intérieurement la personne qui nous inspire ce désir. Grâce à elle, nous sommes reliés à ce que nous avons de plus vibrant. Le royaume de l'Être trop souvent refermé dans une vie d'action s'entrouvre et nous sollicite comme inlassablement. Certaines personnes écrasent peureusement ces sensations, tentent de les noyer dans la vitesse, dans l'alcool, ou dans l'abrutissement télévisuel. Le rendez-vous avec soi-même est annulé, ajourné ou reporté définitivement. D'autres accueillent ces sensations et en font leur miel.

Même si l'autre n'est pas libre, même si l'autre ne s'intéresse pas à vous, ce quelque chose de vous qui a vibré par l'extérieur peut revenir à l'intérieur. Le sillon s'approfondit, la musique de l'âme s'amplifie. Le désir de fusion avec l'extérieur ramène au désir de fusion avec l'intérieur.

En luttant contre un désir, contre un amour, on entreprend une œuvre de destruction sur soi-même. En acceptant un désir, un amour, même non réciproque, on entre dans le processus alchimique possible de la sublimation.

TÉMOIGNAGE :

« Depuis plusieurs semaines le visage de cet homme était tourmenté. Ses amis se demandaient s'il n'allait pas bientôt adopter quelques tics nerveux. Visiblement quelque chose le rongeait de l'intérieur. Il s'exprimait principalement en négatif, s'appuyant sur tout ce qui pouvait le conforter dans cet état d'esprit. Il était amoureux et assez lucide pour s'apercevoir que la femme élue ne répondait pas à son attente. Il se victimisait, il devenait morose, frileux et tiède.

Et puis un jour ce fut le miracle. Il était méconnaissable, lisse, beau, apaisé, drôle et présent à tout. Je sus plus tard qu'il y avait eu en lui un retournement de conscience. Il avait décidé d'accepter d'être amoureux et il s'en réjouissait, il goûtait cette énergie sans attendre quoi que ce soit. Mais comment ne pas remarquer que la jeune femme en question s'extasiait sur ce changement et commençait à le regarder différemment... »

L'érotisation de l'être joue toujours en contrepoint avec l'érotisation du corps. La merveille du désir réciproque, c'est aussi qu'il autorise une amplification. Quand deux personnes qui s'aiment sont séparées, leur aspiration l'une vers l'autre est chargée « d'être », de manière à la fois heureuse et douloureuse. Ce sont des temps qui suscitent un élargissement, le surgissement d'une énergie créative. La capacité de la sublimation permet aussi que l'énergie sexuelle se transforme en amour.

Le caractère sacré du désir

TÉMOIGNAGE :

« La séparation du sacré et du désir m'apparaît comme la coupure essentielle de notre monde. Je me sens comme quelqu'un de privilégié parce que, dès l'enfance, j'ai choisi de vivre le désir que j'éprouvais en rupture avec le comportement des adultes. J'avais construit une cabane dans un merveilleux buisson de bambous, lui-même abrité des regards par un entassement de grands bouleaux blancs coupés. Dans cette retraite, je rêvais pendant des heures, souvent habitée par une intensité de plaisir que je ne pouvais pas nommer. Je me souviens des prunes qui tombaient en été, douces, jaunes, juteuses. Leur jus coulait dans ma gorge et je m'en gavais dans une sorte d'infinie jouissance. Tout m'était prétexte au plaisir et je crois que j'ai découvert très tôt la masturbation. Je fus prise en flagrant délit bien sûr et je me souviens du beau visage contracté de ma mère, de son indignation et de mon rire intérieur. Il y a bien longtemps déjà que je savais par prescience que ces adultes mentaient et se mentaient même peut-être à eux-mêmes sur le plaisir. Je savais que tout n'était qu'extase et je ne m'en privais pas. L'école et l'apprentissage de la lecture m'ont rattrapée mais j'eus encore quelques mois de sursis avec le cerveau gauche en apprenant par cœur tous les textes de lecture. On croyait que je savais lire alors que je rusais en récitant l'histoire. Mon père découvrit un jour le pot aux roses en me présentant le livre à l'envers. À mon tour j'entrais dans la contamination du séparé. Je n'en suis toujours pas indemne.

J'ai pourtant conservé en profondeur le droit au plai-

179

sir. Et dans la découverte de la sexualité adolescente, le lien entre le sexe et le sacré s'est refait assez vite. Je me souviens notamment d'une expansion de conscience après l'amour qui m'a placée à jamais sous un signe de connaissance tantrique. Oui, nous pouvons vivre notre sexualité de manière religieuse donc reliée. »

Depuis des millénaires, les religions désignent le sexe comme dangereux, comme un poison mortel, comme quelque chose d'anti-religieux, voire de diabolique. Cette fracture est si forte qu'elle imprègne encore les inconscients même quand les consciences ne l'entretiennent plus. La méfiance sur le sexe est profonde. Toute l'aliénation de soi a sa racine dans cette coupure. En combattant son énergie sexuelle, on s'engage dans une guerre contre soi-même, on se condamne à une forme d'impuissance, de désintérêt sexuel ou au contraire d'obsession sexuelle. Notre civilisation actuelle est plutôt placée sous le signe de l'obsession sexuelle notamment par le visuel, et d'une pauvreté sexuelle dans l'intimité. La pression ne vient plus nécessairement des religions. Collectivement et individuellement nous ne savons pas comment nous sortir de la culpabilité sur le sexe, de sa grisaille ou de sa négation. Pourtant la société a changé de cap et d'objectifs. Pendant longtemps l'organisation sociale a reposé sur l'obéissance, l'exploitation d'un petit nombre sur un grand nombre. Le mouvement irréversible dans l'histoire des dominés vers la révolte conduit à la nécessité d'une société en voie d'instruction et de libération intérieure, d'une société non pas d'assistés, mais de créatifs. Le moteur de toute création a toujours été la sexualité. C'est pourquoi la sexualité tend à se dépoussiérer de la grisaille de son interdit. Mais la teinture de l'interdit a tellement pris dans la conscience collective que rien jusqu'à présent ne semble lui avoir redonné la vivacité de ses couleurs initiales.

Et pourtant, dans une vie de travail, de distraction, de consommation, l'humain n'a souvent que l'acte sexuel pour vivre quelque chose de plus fondamental, pour vivre un dépassement, une transcendance. Dans l'acte sexuel l'ego disparaît et le temps s'efface, deux dimensions qui permettent d'entrer dans la sensation océanique de l'existence. Le désir vis-à-vis d'un homme ou d'une femme est toujours, dans son essence, désir de rejoindre l'état océanique. L'appétit sexuel est aussi une soif du divin mais dans l'état actuel des esprits cette phrase est un tel raccourci que certains ne manqueront pas de se gausser bruyamment.

TÉMOIGNAGE :

« Il est envisageable que l'humain ait atteint son premier état divin pendant l'orgasme. D'une certaine manière, je peux dire que c'est aussi mon expérience. Le sentiment de félicité, d'amour était si profond qu'il m'a donné accès à un état d'unité. Par la suite, cette religiosité vécue ne m'a plus jamais quittée et j'ai cherché à la retrouver par d'autres moyens, notamment la méditation. Il est possible que l'humanité ait fait de même, que les codifications du yoga, que les chants, les méditations et les prières tentent de faire sauter les barrières du mental pour atteindre un état de stabilité fusionnelle. »

En reconnaissant la valeur sacrée du désir, on se donne la possibilité de le laisser couler en soi, de l'accueillir, de cultiver sa présence. Il peut se manifester physiquement par la chaleur du sexe ou son érection, mais aussi par un pétillement dans tout le corps, ou par un fourmillement. Il se manifeste psychiquement par une chaleur dans le cœur, par un sentiment d'amour et, sur le plan spirituel, il se traduit par une capacité d'élévation dont il sera question plus loin.

Redonner au désir son lien avec l'amour et la spiritualité, c'est refaire une jonction sexe-cœur-tête. Cette jonction permet de libérer le sexe de son poids d'interdit, et devient par là même toujours plus forte et plus joyeuse.

« Car toute joie veut l'éternité. »

La culture du désir

Nous avons une tradition, un culte du désir qui peut nous apprendre à être toujours davantage des artistes de la joie de vivre.

> *Je suis à mon bien-aimé,*
> *vers moi se porte son désir.*

Le Cantique des Cantiques de Salomon est un long chant d'attente et de désir chanté tour à tour par l'homme et la femme. Deux êtres prennent le risque de se dire leur désir dans une intensité redoublée par la réciprocité.

> *Soutenez-moi avec des gâteaux de raisin.*
> *ranimez-moi avec des pommes,*
> *car je suis malade d'amour !*

L'intensité du ressentir conduit à cet aveu : je ne suis pas normale, je suis affaiblie, je suis dans un état modifié de conscience, je défaille à la seule pensée de l'homme que j'aime. Cette nudité du désir et de l'amour n'est que rarement avouée par une femme et cet aveu nous vient des millénaires de la sagesse.

> *Mon bien-aimé élève la voix.*
> *J'entends mon bien-aimé me répondre.*
> *Lève-toi, mon amie, ma belle,*
> *va vers toi-même.*

Cette traduction a inspiré cette phrase qui résume la conception de l'amour et de la rencontre dans son paradoxe et son mouvement : « Viens, va vers toi » et qui fait l'objet d'un chapitre dans *La Sainte Folie du couple.*

Le Cantique des Cantiques est un le chant de l'attente et de la présence, la célébration et la sublimation d'une tension à la fois heureuse et insupportable.

Il est là (elle est là) en moi à chaque instant, je suis habitée par l'autre et comme telle je suis en état de sainteté, j'ai besoin de l'aide de mes proches parce que je suis aussi vulnérable. Viendra-t-il, ne viendra-t-il pas, j'entends ses pas, mais non ce n'est pas lui, comme il est beau, comme elle est belle, je vous le raconte pour mieux me le raconter à moi-même. Que puis-je faire d'autre en son absence que de l'évoquer, lui qui de toute manière ne me quitte pas ? Je suis en état de possession, mais je ne lutte pas, je l'accepte. Je me promets tant de plaisir à sa rencontre prochaine :

> *Il me baisera des baisers de sa bouche,*
> *son étreinte m'entraînera plus haut que le vin.*

Je me promets l'ivresse de son étreinte, la joie, toute la joie : Comme il est juste d'aimer. Je peux te parler à l'intérieur de moi, le vent emporte mes paroles jusqu'à toi et les amants entendent leur cœur à travers la distance.

> *Que tu es belle ! Que tu es beau,*
> *doux aussi.*

Je te chante et tu me réponds.

> *Ne réveillez pas mon amour*
> *avant l'heure de son désir.*

Je me mets en sommeil de ce que je ressens pour lui quand il est absent parce que cette brûlure est trop vive parfois.

> *J'ai cherché celui que mon cœur aime,*
> *j'ai cherché et je ne l'ai pas trouvé.*

L'absence est parfois cruelle, décevante, mais elle conduit la quête. Il y a des temps pour ne pas trouver et des temps pour trouver.

> *Tu me fais perdre le sens, ma sœur, ma fiancée !*
> *Tu me remplis le cœur d'un seul de tes regards.*
> *Tes lèvres, ma fiancée...*

La plénitude de l'étreinte et sa délicatesse remplissent aussi la coupe de l'absence. Puis la quête reprend : je l'appelle... pas de réponse. Pour le décrire, elle le chante inlassablement, le décrit encore et encore : tout en lui avive le désir.

Il la chante, il l'espère :

> *Unique est ma colombe, ma parfaite...*
> *Belle comme la lune,*
> *resplendissante comme le soleil...*
> *Où es-tu, mon âme ?*

Elle imagine, elle rêve leur rencontre :

Viens, mon bien-aimé, allons aux champs...
alors je te ferai le don de tout mon amour...
Car l'amour est fort comme la mort,
Sa jalousie inflexible...
Ses embrasements sont embrasements de feu...
les eaux multiples ne pourront éteindre l'amour.

Le dernier chapitre monte le ton d'un cran. Face à la médisance, face à la puissance, face à l'argent, l'amour se proclame invincible, éternel.

Fuis, mon bien-aimé.

Est-ce le danger qui motive cette abnégation de la bien-aimée ? Le danger, quel danger ? Celui de la prison de ses bras ? Ou l'amour accepte-t-il l'absence comme une inévitable solitude ? Viens et fuis, va vers toi-même, et reviens encore.

Ce chant a une puissance d'appel, comme s'il se faisait incantation. Le sentiment d'amour entre deux êtres qui se désirent creuse en eux un espace d'infini. Toutes les querelles au sujet du Cantique des Cantiques pour savoir s'il s'agit là de l'histoire d'un homme et d'une femme, ou de l'alliance d'un peuple avec sa terre et son Dieu, ou de l'amour qui unit une âme à Dieu, sont vaines. Ce qui est important, c'est l'amour lui même, l'approche de l'être que provoque l'état d'amour.

Il est très émouvant de prendre conscience que depuis des millénaires l'amour, qui est la plus haute valeur de civilisation, a été reconnu, salué et chanté pour lui-même, au-delà des situations de plaisir ou de déplaisir. Le profane et le sacré ne sont pas séparés, ils sont imbriqués l'un dans l'autre, pour une révélation réciproque.

L'amour courtois, la *fin' amor*, l'amour de finesse, tente bien des siècles plus tard d'introduire cette valeur dans un monde guerrier de pouvoir masculin. La femme retrouve sa place d'intermédiaire entre l'homme et le divin. Le désir qu'elle suscite est vécu comme une source d'énergie qui conduit à l'amour. Cultiver le désir, le conserver, jouer avec lui plutôt que chercher son assouvissement, c'est aborder le chemin d'une noblesse du cœur et de l'esprit. Le troubadour rend un culte à sa dame, il dort près d'elle, la désire et ne la touche pas, la chante, la sert, l'honore, ce qui est une manière de rendre un culte à sa propre féminité intérieure. Cette ascèse est aussi l'occasion de développer un état intérieur raffiné, de donner le temps à la rose de l'amour de fleurir par l'exaltation, la sublimation de l'aimée. La femme troubadour chante aussi son amour pour l'homme comme la bien-aimée du Cantique des Cantiques.

Dans la rencontre amoureuse, le culte du désir prolonge l'art des caresses, les douceurs d'une approche subtile, l'échange du baiser et les souffles emmêlés, les effleurements de peau et les intensités du regard. Les préliminaires de l'amour ne sont plus des préliminaires mais un langage de plénitude où le temps se dilate.

C'est une victoire sur ce que le désir porte en lui de tueur, de consommateur, de cannibale. Je te désire et je te dévore. Cette ardeur sauvage et animale a sa beauté mais aussi sa limite. Elle est de l'ordre du besoin, elle s'épuise dans sa gloutonnerie. Le raffinement d'une attente retardée, domptée, acceptée, décuple le plaisir mais laisse aussi s'installer une intimité.

Ce ne sont plus seulement deux corps qui s'échangent, ce sont aussi deux personnes qui se reconnaissent, qui osent se montrer l'une à l'autre ce désir, le dire pour le faire durer. Au lieu de se jeter l'une sur l'autre pour obéir à l'appel du désir, elles diffèrent cette rencontre, elles ajoutent de l'attente, elles s'installent même parfois dans l'attente, et le désir est toujours plus fort. Ce feu fait naître parfois un autre mystère, celui de l'amour partagé. C'est un noble jeu de la conscience. Le désir n'est pas refoulé, il est au contraire maintenu dans l'attention, attisé et affiné.

Que fut l'amour courtois du XIIe siècle ? Une mode, une philosophie, un surgissement spirituel, le féminin de l'être retrouvé au sein de la barbarie guerrière ? Il était souvent adultère, unissant une femme mariée de noble condition et un troubadour célibataire. L'homme qui se voulait digne d'appartenir à cet idéal de l'amour devait montrer sa générosité, se garder chaste pour sa bien-aimée, ne pas mentir, garder le secret sur son amour, se mettre toujours au service de cet amour, respecter les désirs de sa dame, adopter en toutes circonstances un comportement noble et courtois. On a beaucoup disserté pour savoir si l'amour courtois était une école de chasteté ou si les amants courtois s'abandonnaient aux délices de l'étreinte. L'influence chrétienne a tiré l'amour courtois du côté de la chasteté au point que certains chevaliers ont pu se consacrer à la célébration de la Vierge Marie. La sublimation du féminin faisait partie de ce mouvement et le chant poétique amplifie cet appel de l'anima. Nul doute aussi que les amants courtois aient développé une érotique bien charnelle. Mais l'héritage qui nous est transmis comme fleur de civilisation est peut-être encore tout à fait autre.

L'Amour est une valeur supérieure, on peut l'écrire avec un grand A et se mettre à son service. Le message est le même que celui du Cantique des Cantiques. Rien n'est séparé. La vie de l'âme reconduit à l'essence spirituelle de l'être. Cette brûlure paradoxale ne consume pas, cette source ne désaltère pas. Encore et encore, elle tient en haleine dans le bouleversement et le tremblement intérieurs.

Notre monde actuel a gardé ce message : une vie sans amour ne vaut rien. Il semble que nous soyons tous des obsédés. Les couples se font et se défont comme jamais au nom de l'amour. Mais la conception de la vie affective est souvent bêlante, plaintive, sacrificielle, victimisante, accusatrice : « Il n'y a pas d'amour heureux », « Mon cœur est malheureux », « Tu me fais souffrir », etc. Nous sommes dans le langage du nommer, du posséder, de l'exiger alors que l'amour est liberté, fluidité, renouvellement, feu intérieur.

Peu de gens sont prêts à s'offrir à cette vulnérabilité de l'être. On préfère parler sur l'amour, raconter des histoires. Peut-être chacun ne se construit-il une vie si compliquée que pour éviter d'aimer. Un tel énoncé paraît abrupt. Et pourtant... L'amour fait appel à la conscience fine souvent barrée par la peur d'être trop vulnérable. Pour chacun de nous la conscience fine est une conquête sans cesse recommencée chaque jour.

Oser avoir soif de l'amour, oser désirer. Si ces lignes ne permettaient que ce seul surgissement, elles auraient déjà atteint leur but.

Être touché par l'amour, c'est comme être touché par la grâce. L'amour accepté et non pas seulement subi comme une passion dangereuse et funeste est une **voie de sagesse**. Il donne l'inspiration, il fait exulter le corps, il ouvre en soi le sens de la grandeur et de la perfection. Il ne s'agit pas de « tomber amoureux » mais d'entrer dans l'amour et de devenir un fidèle d'amour. Cet héritage des troubadours s'est perpétué à travers tous les grands poètes, Rumi le soufi, Dante, Don Quichotte, Shakespeare ou Breton.... Ils nous enseignent le culte du désir, le sens du bonheur, la foi dans l'élan du cœur, le ralliement de l'intelligence à cette foi.

La beauté du désir conscient, c'est qu'il accepte d'être inatteignable. Tous les enlacements, toutes les étreintes ne peuvent abreuver une soif qui est tout à la fois soif de l'âme, soif de Dieu, soif de soi et soif de l'autre. Et le désir dit physique est toujours tout cela à la fois, même sous des enveloppes grossières. Chacun représente ainsi pour l'autre l'infini d'un mystère.

Plus je suis conscient de cet enjeu et plus je tremble à t'approcher, plus je m'avance dans la délicatesse, dans la pureté de mon être, dans l'étonnement que ce soit lui et que ce soit moi. Quel est ce moment unique ? Je tremble. Suis-je digne de ce moment unique ? Le désir se dit dans les regards, dans les silences, dans les rires, dans les effleurements, dans les regards encore. Le plaisir est là, totalement là, dans la seule présence à se voir, à se toucher, à s'entendre, caresse de l'âme bien autant que caresse des corps.

L'érotique est dans cette conjonction. Le désir qui ne s'assouvit pas est celui qui vient de l'âme. L'érotique pressent, imagine qu'il y a un infini dans les langages du corps. Mais, pour que l'âme et le corps se conjuguent, encore faut-il introduire une ascèse dans le désir, ne pas le laisser s'exprimer comme un cheval fou, le retenir par la bride, le conduire en se laissant conduire, faire alliance.

L'érotisme, lui, est un intellectualisme fiévreux mis au service du désir, une excitation du fantasme. Souvent construit sur le jeu du dominant/dominé il tend à accentuer la coupure, la séparation, il débouche sur le désir d'anéantissement et de mort. L'érotique par contre est une alliance qui ouvre sur l'éternité et sur l'intériorité. L'érotique fait appel aux noces intérieures comme aux noces extérieures. Il n'épuise pas le désir, il le renouvelle dans l'attente et la surprise du lent dévoilement de l'être.

Il n'y a rien de plus ardent que deux êtres conscients face à face.

Les liens du désir et de la liberté

Deux êtres conscients sont aussi deux consciences libres qui cultivent et font croître le désir. Et par là même ils célèbrent la vie. Devenir capable d'honorer son désir, c'est aussi passer du statut d'esclave au statut de maître. S'il y a des vies plus heureuses et plus vivantes que d'autres, des vies qu'on pourrait dire transfigurées, c'est que les fleurs du désir ont poussé davantage dans ces jardins-là.

L'opinion commune répète : le mariage et la quotidienneté sont le tombeau de l'amour et du désir. Ce n'est ni le mariage, ni la quotidienneté qui sont en cause mais la manière de les vivre. Le couple se propose trop souvent des conditions d'aliénation réciproque, de prise en charge des parties enfantines avec son corollaire de rôle accusateur et dominant. « C'est pour ton bien » que je m'immisce dans ta vie et dans tes décisions, que je prends pouvoir sur toi et que je t'infantilise. La limite entre la protection, l'étouffement et le goût du pouvoir reste floue. La complémentarité mal comprise ajoute à ce sombre tableau. « Je me dispense d'acquérir les qualités que je reconnais chez toi. » Il ne faut jamais oublier que sur le plan psychologique le couple a un programme d'échange.

À l'occasion de toi je veux devenir cette personne artiste que tu es. Si je me contente de t'admirer, je ne ferai que fortifier ma dépendance. Si je cherche mon expression et mon autonomie dans ce domaine, mon couple passera progressivement du complémentaire au double. En s'exprimant, ma fantaisie te renvoie à ta manière d'avoir les pieds sur terre et notre relation explore plusieurs pôles sans avoir à se cantonner toujours dans les mêmes comportements.

Le désir a besoin de surprise, et l'imprévisible se maintient au sein du couple à condition que deux personnes continuent de se déplacer dans la lumière vive de leur singularité, même si les arêtes en sont coupantes.

Comme tu m'es étrangère, comme tu m'es proche, comme tu m'es admirable, comme tu m'es familière ! Le paradoxe ne cesse de s'incarner. Si je t'ai choisi entre tous, si je t'ai choisie entre toutes, c'est que le miracle de l'amour me permet de voir en toi ce quelque chose de céleste que tu ne perçois peut-être pas encore. Par mon amour je t'emmène vers toi-même, dans un monde de sens et de légèreté.

Il y a une curieuse torsion dans la relation. On se sert du désir et de l'amour, on se repose sur eux pour établir une relation durable. On oublie que l'amour doit être servi, que la relation est au service de l'amour, pour cultiver un renouvellement. Deux personnes cheminent, s'élèvent, ne cessant d'embellir et de rendre plus sacrés leurs vies et le monde. Deux personnes éclosent à elles-mêmes et à leur capacité d'amour.

Il arrive même que l'exigence du service d'amour mette provisoirement en péril la relation, par un désir d'isolement ou par l'irruption d'un autre amour. Sur le chemin du vivant, la morale conventionnelle est obsolète. Un couple ne se mesure ni à son exclusivité sexuelle, ni à ses aventures, mais à sa qualité d'intimité. Deux âmes et deux corps vont-ils conserver à travers le temps le même plaisir à s'échanger, à se frôler, à se heurter et à se fondre ? **Une relation fondée sur le mystère de l'être se déplace dans cet infini du désir.**

Cette culture du cœur crée de manière exigeante et permanente la liberté irréductible de chacun, exalte la distance comme un espace pour rêver l'autre et rêver l'amour. La rédemption de l'absence et de la distance est aussi la rédemption de l'irréductible altérité. L'autre ne sera jamais moi mais j'apprends à aimer cette différence au lieu de la vivre dans la peur. J'entre dans une foi en l'amour, aimer dans la gratuité, l'offrande et la célébration. Le doute et la peur me rattraperont toujours. Qu'importe ! Encore et encore je civiliserai ma violence et ma peur et je m'ouvrirai toujours davantage jusqu'à ne plus avoir envie de me refermer. **Le pèlerin de l'amour en moi est aussi le pèlerin de l'être.**

CHAPITRE VI

Le miel de la passion

« Ma bien-aimée est l'abrégé de l'univers et l'univers est le prolongement de ma bien-aimée. »

Novalis

Le culte de la caresse et de la sensualité

ELLE :

Tes yeux me caressent dans une sorte de transparence. Ta main effleure l'ovale de mon visage comme pour le dessiner. Tu ne sembles jamais lassé de me découvrir et de me réinventer sous tes doigts. Tu es si proche. Les ailes du nez, le dessin de la bouche, le galbe du front, la courbe des joues, la rondeur des paupières closes. Qu'y a-t-il donc là, sur mon visage, que tu ne connaisses pas ? Que te révèle cet inépuisable toucher ?

La douceur de ta caresse me rend grave, comme si elle m'ouvrait les portes de moi-même, dans un profond apaisement. Ma respiration se fait plus ample. Tu écartes mes cheveux, tu dégages mon front et ta main devient si légère, comme maternelle. Je sens perler une larme entre mes cils, une larme qui monte de ce bien-être, brillante et lumineuse comme lui. Je suis remplie de ta présence et de ton amour. Les draps sont chauds, le monde s'éveille, et dans ce creux qui est le nôtre nous voguons.

L'espace du sommeil emplit encore la pièce, ce sommeil que nous avons partagé religieusement et qui nous unit au profond de nos trames inconscientes.

Tu approches ton front contre le mien et ce contact a sur moi un effet merveilleux. Là, dans l'espace du troisième œil et sur la ligne des sourcils, une zone de plaisir se révèle, à la fois légère, intense et pétillante. Tes jambes glissent tendrement entre les miennes. Tu cherches ma bouche, tu mordilles mes lèvres, tu gouttes ma salive, tu aspires ma langue et c'est comme une danse d'une infinie lenteur. Ce baiser qui n'en finit pas contient des promesses si voluptueuses. Nos corps s'embrasent, nos sexes se gonflent et nous goûtons sans hâte cette force du désir. Nos souffles emmêlés, cette intimité prolongée de la bouche entretient un plaisir intense.

Ta bouche et ta langue descendent sur mes épaules et sur mes seins. Je m'abandonne ; j'écoute la mélodie que tu déploies. Je suis le violon sur lequel tu joues. Des soupirs, des sons rauques s'échappent parfois de mes lèvres. Au creux de mes aisselles tu découvres des moiteurs, des odeurs, tu me lèches, tu me respires avidement. Les aréoles des seins semblent s'agrandir comme des fleurs étranges et toi tu les découvres, tu les suces, tu les mordilles. Le plaisir commence à me faire osciller doucement d'un bord de l'oreiller à l'autre. Tes mains ont pris possession de mes seins et entre tes doigts écartés tu me tètes maintenant gloutonnement. Le plaisir monte avec violence, je respire de plus en plus vite, abandonnée et consciente, tendue et détendue, laissant les étincelles dorées gagner chaque cellule de mon corps dans une sensation océanique.

Sa langue a repris son exploration le long de mon bras, là où la peau est blanche et fine. Il s'attarde à l'intérieur de mon poignet et les sensations de l'enfance remontent en moi ; deux petites filles se caressent mutuellement le creux des poignets, allongées rêveusement sur leurs lits, dans une délicieuse intimité : ma sœur et moi.

Sa bouche aspire mes doigts un à un et il me semble que

mes membres s'allongent démesurément. Ma bouche est entrouverte et je flotte dans une brume extatique.

Mon ventre est comme lourd et soudain je tressaille parce que le creux de mon nombril est rempli de salive. Il boit à cette source improvisée. Tour à tour il boit et la remplit. Je me détends encore un peu plus profondément avec l'absolue certitude d'être exactement là où je dois être en cet instant.

La cérémonie de la caresse continue. Ses doigts contournent mon sexe malgré mes reins qui se cambrent. Il me sait gonflée de désir, tendue comme un fruit mûr, chaude et douce infiniment mais il résiste encore. Il effleure la peau satinée du ventre, ouvre les cuisses et dessine des courbes autour du sexe. Ses doigts dansent un ballet sensuel sur ma peau vibrante, toujours dans l'approche du sexe et toujours s'éloignant. Il m'effleure de ses lèvres, il m'excite de son souffle, il me livre à son regard, il murmure des mots que je ne peux pas entendre, des mots d'adoration sur mon sexe qu'il ne touche toujours pas.

Ses mains, sa bouche prennent possession de mon corps jusqu'au plus petit doigt de pied qui se trouve enveloppé de salive. Ses cheveux lentement, légèrement, glissent sur mes jambes.

Il s'est assis maintenant. Son regard me fixe intensément. « Donne-moi ton ventre. » Aucune parole n'aurait pu être plus brûlante pour moi. Je laisse glisser mon corps sur le rebord du lit, il s'agenouille et, dans une approche si lente que j'en perds le souffle, il glisse sa langue à l'intérieur de mes grands pétales mouillés et gonflés. Il a passé ses mains sous mes fesses qu'il presse doucement et je sens aussi son plaisir à ce contact. Dans l'étau de ses mains et de sa bouche, il est au cœur de moi, je suis au cœur de lui. Nous respirons profondément. J'ai un plaisir intense mais je ne veux pas aller jusqu'à l'orgasme.

Il m'a retournée pour mieux me caresser les fesses et l'anus,

197

je suis plus calme mais je sens son désir monter à la vue de mes fesses et son désir m'excite en retour.

Par notre respiration, nous restons en contact avec ce feu, mais nous le contrôlons aussi. D'un commun accord, nous nous écartons l'un de l'autre pour nous reposer en écoutant une douce musique. Nous prenons plaisir à accorder nos respirations, à vivre cette distance comme une tension érotique redoublée.

Il a roulé jusqu'à moi, il a pris ma main et l'a dirigée vers mon sexe. Il m'invite ainsi à me caresser sous son regard. Il sait que je m'arrêterai là aussi au bord de l'orgasme. Nos yeux se fondent et il me regarde arriver jusqu'à ce point de tension extrême. Une profonde respiration, un abandon, un relâchement de tout le corps me permettent de rester comme suspendue à lui et à mon plaisir.

Il m'a relevée et je danse nue avec lui. Il y a quelque temps encore, je souffrais des imperfections de mon corps, je n'osais pas me montrer nue devant lui. Maintenant je me sens dans ma liberté, je danse à partir de mon centre. Je suis tout contre lui, ma tête est sur sa poitrine, je goûte la chaleur qui monte de son ventre, je m'abandonne à son rythme, délicieusement yin et passive, comme fondue en lui, offerte à son mouvement. Son sourire flotte au-dessus de moi et je sais qu'il s'est promis d'attendre encore.

Un plateau de fruits nous attend et nous nous nourrissons mutuellement dans les éclats de rire. J'ai passé un peignoir qui s'entrouvre et je vois son regard s'infiltrer jusqu'à mes seins entre deux bouchées. Par jeu je lui bande les yeux avec mon foulard de soie blanche qu'il aime tout particulièrement, et qui est encore imprégné de mon parfum et de mon odeur mêlés. C'est moi maintenant qui prends les choses en main. Je fais glisser un raisin sur ses lèvres, longuement je fais rouler le grain, il ouvre la bouche, tend la langue, essaie de le saisir, mais je le retire jusqu'au moment où je cède enfin.

Ce jeu est un délice. Une cuillerée de confiture d'églantine le conduit à l'extase. Il respire à petites goulées, suprêmement attentif. C'est alors que je commence moi aussi à l'emmener dans l'univers des sensations de la caresse.

Ma langue explore son oreille, descend dans le cou et j'ai l'impression de retrouver une caresse très archaïque, celle que les chats se donnent entre eux, une caresse mouillée, onctueuse, baveuse. Je descends dans les plis du cou et je le sens frissonner. Il s'abandonne, il m'abandonne sa poitrine et j'ai un sentiment sacré en touchant le bout de ses seins, en caressant sa poitrine. J'ai l'impression d'être invitée à l'ouverture de son cœur, dans l'univers de la tendresse et de la confiance. Il s'abandonne toujours davantage. Mes cheveux renversés balaient maintenant son ventre, sa poitrine, ses fesses. Je m'attarde sur le périnée, et mon doigt tendrement explore son anus. Il gémit doucement. Son membre dressé est si beau que je ne sais comment résister à mon désir de le prendre dans ma bouche.

LUI :

Je m'abandonne tout entier à sa caresse et c'est délicieux d'être passif à mon tour. Je ne suis plus que vibration. J'existe au bout de ses doigts, de sa langue. Elle n'est jamais où je pourrai l'attendre. Au début je désirais qu'elle touche mon sexe. Mais elle s'attarde encore et encore sur différentes parties de mon corps et je suis surpris de découvrir autant de zones de plaisir. L'intérieur des cuisses... tout un univers. J'ai un désir fou qui resurgit par instants de sentir sa bouche se poser sur mon pénis. J'entends, je sens son souffle arriver tout près, puis il repart encore dans d'autres directions. Sa langue sur mon anus, sa langue sur mon périnée.

Quand la fleur de sa bouche s'est refermée sur mon membre, je me suis senti enveloppé d'un tel velours que je n'étais plus que gémissement. J'ai serré son bras très fort pour l'aver-

tir que je ne tiendrai pas très longtemps comme cela. Elle s'est arrêtée doucement, lentement. Elle m'a souri, s'est redressée et s'est assise en face de moi en position de demi-lotus.

Je me suis redressé à mon tour et je me suis assis en face d'elle. J'étais attentif à sa respiration. Quand elle expirait, j'inspirais. Pendant de longues minutes ainsi nous n'avons plus formé qu'un seul souffle. Nos bouches se sont jointes et nous avons continué cette respiration inversée. Elle expirait en moi, j'inspirais en elle comme si l'air descendait jusqu'à mon sexe. J'étais profondément troublé par cette intimité de nos souffles. Quand nous nous sommes séparés, j'ai vu qu'elle regardait mon phallus et j'aimais ce regard qui disait son désir d'être pénétrée. J'imaginais les parois chaudes et mouillées de l'intérieur de son vagin. Nos regards se rivaient l'un à l'autre dans le désir fou.

Nous nous sommes allongés l'un sur l'autre ou plutôt c'est elle, qui est plus légère, qui s'est allongée sur moi. Nos bouches se sont jointes, nos sexes se frôlaient dangereusement. Je savais qu'elle raffolait de cette caresse. Je respirais bouche ouverte, j'inspirais avec la sensation de prendre l'énergie sexuelle et mon bassin s'incurvait vers l'arrière, j'expirais avec la sensation de la donner et mon bassin basculait vers l'avant.

Lequel de nous deux se mit à accélérer le rythme ? Nous fûmes soudainement emportés, soulevés par une vague orgasmique venue du cœur sans que nos sexes interviennent.

Combien de temps sommes-nous restés ainsi étendus l'un sur l'autre, immobiles, emportés dans un espace indéfini, flottant entre l'éveil et le sommeil ? Nos corps ne nous semblaient pas séparés. Nous nous laissions fondre l'un dans l'autre comme si nous coulions l'un dans l'autre.

Combien de fois avons-nous ainsi connu des orgasmes subtils sans nous pénétrer ? Nos corps se touchaient, nous respirions ensemble profondément, bouche ouverte, nous laissions nos énergies circuler dans le corps et nous étions régénérés par cet échange délicieux.

Mais nous aimions aussi le contact intime de nos deux sexes. Et nous avons appris de plus en plus à pouvoir maintenir un contact presque sans bouger. Au début, nous ne pouvions pas rester immobiles l'un dans l'autre plus de quelques minutes puis le temps s'est allongé...prodigieusement.

Notre amour s'est développé avec la patience de notre maîtrise. Au début, nous acceptions de nous pénétrer, de nous exciter en bougeant l'un dans l'autre et puis, avant que l'un ou l'autre atteigne l'orgasme, nous arrêtions tout pour nous rhabiller et partir vaquer à d'autres occupations. Parfois l'un ou l'autre se sentait déçu ou frustré et exprimait sa colère mais nous étions conscients que la maîtrise que nous recherchions avait son prix.

Parfois aussi elle s'allongeait sur moi, caressait mon sexe avec sa main et me faisait pénétrer en elle sans me quitter des yeux en synchronisant sa respiration sur la mienne. Elle resserrait l'étreinte de son vagin autour de mon sexe et je me mettais à l'écoute. Nos corps restaient parfaitement immobiles. À mon tour j'inspirais, je contractais mes muscles génitaux et je lui faisais ressentir mon sexe à l'intérieur. Par cette écoute mutuelle du langage du sexe de l'autre, nous faisions circuler des ondes de plaisir intense.

C'est ainsi que peu à peu nous en sommes venus à pouvoir nous pénétrer, à rester l'un dans l'autre profondément relaxés pendant plus d'une heure, échangeant nos énergies subtiles. Nos sexes se caressaient intérieurement si divinement que nos peaux se faisaient lumière et nos corps château d'amour.

Le corps comme un temple

Mon corps est comme un temple vivant.

Cette prise de conscience se vit par couches successives de plus en plus profondes. Accepter son corps, honorer son corps, c'est aussi accepter son incarnation, accepter le processus paradoxal de la vie et de la mort, l'entropie, la dégradation de l'âge. Écouter aussi, laisser parler l'intuition du vivant et le servir au mieux.

Habitant transitoire de ce corps, comment puis-je vivre en bon compagnonnage avec lui, lui donner les meilleures conditions de son exultation ? Car il y a en lui toute la sagesse de la vie, il est mon fil conducteur le plus sûr dans l'infini des possibles et le débordement des comportements extrêmes. Mon esprit peut m'entraîner dans la débauche ou dans l'ascétisme, mon corps me ramènera toujours dans la voie du milieu, là où l'arc n'est ni trop tendu, ni trop relâché.

Tous les jours le corps a besoin d'être nourri, reposé, baigné, détendu, fortifié, étiré, caressé, aimé pour pouvoir laisser sourdre son nectar de joie. Méfions-nous de celui qui martyrise son corps dans le trop ou le pas assez. Méfions-nous de ce nous-mêmes qui mène le corps à bride abattue pour servir la gloire de l'ego ou pour s'abrutir par crainte de se rencontrer.

Avant l'amour, il est bon de pouvoir se reposer, méditer, de se promener, de prendre un bain, de se masser avec une huile légère, de se parfumer. Ce bien-être avec soi-même est aussi présence à soi-même. Se sentir beau, propre et parfumé permet de mieux habiter son corps en harmonie et en conscience.

En s'intériorisant, chacun se met en contact avec sa double polarité masculine et féminine, ressent l'union intérieure de l'actif et du passif, du corps et de l'âme. Trop souvent, nous attendons de la rencontre avec l'autre cette réconciliation intérieure. Mais nous pouvons la réaliser avant la rencontre par une courte méditation-intériorisation. Rendre son souffle plus conscient et plus profond permet de s'aligner sur un axe central sexe-cœur-tête, et de dépasser le tourbillon des idées. Se centrer pour être simplement là présent. Il n'est pas possible de rencontrer l'autre dans la dualité. Entrer dans l'acte d'amour, c'est ressentir. **Si une partie de nous pense et une autre partie ressent, la communion est rendue impossible.**

Deux partenaires qui se rencontrent dans la division sont déjà au moins quatre, alors qu'ils voudraient ne faire qu'un.

Il faut savoir méditer pour bien faire l'amour parce qu'il faut savoir sortir de la conscience mentale, sortir de la dualité personnelle. Le feu du désir nous précipite dans le présent mais il est nécessaire de savoir garder ce feu et de ne pas se précipiter dans une course à l'orgasme.

L'acte sexuel est rapide quand l'amour n'ose pas être présent. Chacun exploite l'autre et s'en sert comme d'un instrument pour atteindre le plaisir. C'est l'apprentissage de la lenteur, de la présence en soi au corps et à l'âme qui permet d'entrer dans le royaume charnel et subtil de l'amour.

L'exercice du sourire intérieur

L'exercice du sourire intérieur est une merveilleuse préparation.

L'attention se concentre sur la respiration, la langue flotte dans la bouche. On imagine une serviette tiède et parfumée qui vient délicatement se poser sur le visage et qui détend tous les muscles du visage. On pose un sourire sur son cœur et on ressent la détente qui correspond à cette vision. Les coins de la bouche se relèvent, un sourire se pose à son tour sur les lèvres. On visualise le sourire de quelqu'un et on laisse grandir le sentiment de bien-être. En cet instant, tout est parfait. Vous êtes un sourire de félicité, de paix, de compassion pour toutes choses.

La méditation des trois sourires est une autre variante. On pose un sourire sur son cœur et on se remplit progressivement d'un sentiment de détente, de douceur. Puis on visualise un sourire entre les deux sourcils, à l'emplacement dit du troisième œil, enfin on descend au sexe et là aussi on visualise un bien-être, une détente. Un sentiment de chaleur intérieure envahit progressivement ces trois centres et on se sent harmonisé, unifié.

La recherche de l'extase

Le pouvoir du souffle et de l'imaginaire conjugués donne la possibilité de maintenir dans son corps en dehors de toute rencontre un état d'union, de félicité, de douceur intérieure. L'un des plus vieux textes du monde, le *Vijnana Bhairava* propose 112 méditations dont chacune est susceptible de conduire à l'illumination. La 47e dit :

« Même en l'absence de la femme, Ô maîtresse des dieux, l'afflux de félicité peut se produire si l'on se remémore intensément la jouissance que nous ont donnée ses baisers, ses caresses, ses étreintes[1]. »

Celui qui a connu l'expérience du sentiment d'unité dans une rencontre sexuelle peut la reproduire dans son corps. On imagine que l'autre est là allongé contre soi, on se laisse embraser par le grand souffle de l'amour, on fait comme si l'autre était là, on bouge, on crie, on tremble et on a le sentiment de faire l'amour avec l'univers. Pour une femme, l'univers est un homme et, pour un homme, l'univers est une femme. Savoir recréer en soi le sentiment d'unité donne accès aux noces intérieures. C'est en ce sens que le sexe, s'il conduit parfois à l'esclavage, peut être aussi une voie de libération quand on apprend à le chevaucher. L'état d'union qui se révèle avec un partenaire est reproduit sans partenaire. L'état d'union qui se déclenche sans partenaire peut se reproduire avec un partenaire.

Certains êtres sont tellement agréables à côtoyer, ils sont si bien, si chauds avec eux-mêmes qu'on pourrait penser qu'ils ont découvert, sans même le savoir, le canal de transmutation, l'accès aux noces intérieures. Apprendre à détecter cet état chez l'autre, c'est déjà apprendre à le créer.

---

1. Traduction de Pierre Feuga.

La respiration consciente

Il n'est pas possible de vouloir vivre quelque chose d'intense dans l'amour sans apprendre à respirer. L'accélération du souffle permet de démultiplier les sensations mais aussi de contrôler pour mieux ensuite s'abandonner.

Les quatre premières méditations tantriques concernent le souffle : « Expiration en haut ; inspiration en bas : sur la suprême Énergie composée de ces deux pôles, on doit exercer une poussée ascendante. Chaque souffle étant maintenu en son lieu d'origine, la plénitude s'établit. »

Rendre la respiration consciente, profonde et légère, suspendre sa respiration en haut et en bas, avant l'expir et avant l'inspir, cette première indication-méditation apporte à elle seule la plénitude.

« Que l'on s'adonne à la rétention du souffle après l'expiration ou bien après l'inspiration, à la fin de cette pratique, l'énergie est dite apaisée et grâce à elle un état d'être apaisé se révèle. »

Tant qu'on n'a pas pratiqué la respiration consciente et la rétention du souffle, on n'imagine pas réellement la puissance d'intériorisation que contient cette pratique. La respiration est l'intermédiaire privilégié entre le physique et le spirituel. Elle permet le recentrage de l'être et le passage d'un état de conscience « égotique » à un état de conscience « océanique ».

Dans l'inspiration, une énergie bienfaisante apaise et purifie le corps ; dans la rétention poumons pleins, l'organisme est régénéré et il y a une perception du plein. Dans l'expiration, une sensation d'élimination se produit, et dans la rétention poumons vides, il y a perception du vide intérieur.

La respiration avec le ventre pratiquée chaque jour pendant cinq minutes favorise le passage de la pensée au ressentir. Tous les gens qui pensent respirent de manière courte avec le haut des poumons. Les gens qui ressentent mobilisent leur ventre. La respiration bouche ouverte, rapide, rythmée, amplifiée, permet d'accéder rapidement à ses émotions et court-circuite le mental.

L'alliance de la respiration et de la sexualité propose au couple tantrique d'accéder comme à une seconde naissance.

Respiration haletante : Chacun apprend à faire circuler l'énergie dans son corps en respirant bouche ouverte. À l'inspir, le bas du dos se cambre, les muscles qui entourent le sexe et l'anus sont aspirés à l'intérieur, une sensation de tension commence à se propager le long de la colonne vertébrale. À l'expiration, le bassin revient en avant et les muscles se relâchent. Ce mouvement devient comme une danse, trouve son rythme, s'amplifie. La respiration est connectée avec le sexe et parfois une sensation orgasmique surgit.

Toujours en respirant bouche ouverte on se tient debout, genoux souples, et on fait vibrer son corps par des tremblements volontaires en connectant son sexe avec la terre.

Respiration suspendue : Après avoir respiré de manière accélérée et bouche ouverte, on termine en respirant au contraire par le nez, très doucement, très lentement, de manière fluide, jusqu'à ce que la respiration devienne comme imperceptible. Pendant l'amour, cette respiration très subtile se révèle particulièrement merveilleuse.

Respiration forcée : Elle se fait par le nez, elle est bruyante et comme paroxystique. Elle permet un nettoyage puissant des deux narines simultanées et elle recharge très rapidement en énergie. On peut la faire à tout moment de la journée quand on est fatigué et le matin au réveil.

Respiration et visualisation selon le Tao : En partant du sexe, on imagine une énergie qui remonte le long de la colonne vertébrale en direction de la tête, et atteint la glande pinéale. On fait une rétention d'air, poumons pleins, en imaginant chaleur et lumière au milieu de la tête. Puis on visualise l'énergie qui redescend par le palais jusqu'à la gorge, le plexus solaire, le hara et revient au sexe. Quelques secondes de rétention poumons vides permettent de ressentir le vide. Puis le cycle reprend avec l'inspir le long de la colonne vertébrale.

Ce voyage en boucle qui inclut visualisation, sensation et respiration recharge en profondeur l'organisme. Il se pratique à deux en méditation ou pendant l'amour. Après la pénétration, le couple immobile visualise l'énergie qui monte vers le cerveau et la sollicite même par petits massages circulaires et intuitifs le long de la colonne vertébrale. Le partenaire s'exprime sur ce qu'il ressent et on s'aperçoit alors combien cette conscience de sa propre énergie et de celle de l'autre provoque des zones érogènes.

Respiration inversée : Quand l'un des partenaires inspire, l'autre expire jusqu'à ce que les deux partenaires aient l'impression de n'être qu'un seul souffle. Le plus difficile pour chacun consiste sans doute à acquérir la respiration consciente comme une seconde nature. L'affinement de l'être est à ce prix. Pour apprendre à nager, nous avons des lieux, des enseignants, des prétextes et des coutumes. Autrefois, il était très rare de savoir nager. Aujourd'hui, il est très rare de ne pas savoir nager. Nous pouvons souhaiter que les différents modes respiratoires s'apprennent dès le plus jeune âge. Ils s'accompagneront inévitablement d'une attitude d'observation à l'égard du corps, et d'un plaisir à s'intérioriser, à « rentrer chez soi ».

La popularisation du yoga fait beaucoup pour cette sensibilisation à la respiration mais son état d'esprit est trop souvent coupé de l'énergie sexuelle et de l'émotion. Dans le yoga, la respiration par la bouche n'existe pas. On se concentre sur la respiration par le nez et sur la reconduction de l'énergie dans les chakras supérieurs.

Dans l'amour, la respiration avec la bouche est très importante. Elle intervient naturellement dans l'acmé et elle peut être encore amplifiée consciemment. Toujours en poursuivant la comparaison avec la nage, si nous nous trouvons dans l'eau sans savoir nager, nous allons barboter, nous débattre, couler et seuls quelques-uns trouveront par instinct une position de flottaison. C'est la même chose pour la respiration pendant l'amour. Beaucoup trouveront d'autant moins la clef que l'interdit mis sur le sexe invite plutôt à très peu ressentir.

Pour vivre le plaisir dans son corps, la respiration consciente est la clef essentielle. Les différents rythmes, les différents modes ont besoin d'être compris, étudiés, expérimentés de manière analytique, tels qu'ils sont présentés, mais rapidement on passe à un mode synthétique. Cette sorte d'acquis technique est ensuite utilisée spontanément en artiste de la sensation.

Le muscle papillon

J'ai appelé ainsi spontanément un ensemble de muscles qui se trouvent autour de l'anus et du vagin et dont on pourrait trouver qu'ils ont une forme de papillon. Ce n'est pas par un livre ou une tradition que je les ai découverts. Je pense que, petite fille, je m'en suis servie très spontanément puis j'ai oublié. Quand j'ai commencé à méditer devant la flamme d'une bougie, j'ai redécouvert cette pratique spontanément. Je me suis aperçue que dans l'état de sensibilité où je me trouvais à ce moment-là, il suffisait que je contracte pendant quelques secondes cette zone de mon corps, que j'inspire, que j'imagine l'énergie en train de remonter jusqu'à mon cerveau, pour qu'une sorte de tension apparaisse dans le haut du crâne. En continuant ainsi quelques minutes, je ne tardais pas à avoir la sensation d'une sorte de cône au-dessus de la tête et j'entrais dans un état de conscience modifié. Les pensées pouvaient être là ou disparaître, partir puis revenir. Tout dépendait de la profondeur à laquelle je m'abandonnais. Quoi qu'il en soit, je sortais régénérée de ces méditations, avec l'impression d'avoir dialogué sans mots avec une partie essentielle de moi-même. Cette jonction sexe-tête me parut immédiatement du plus grand intérêt pour moi mais je n'en parlai à personne. Pendant des années, cette capacité se développa et je pus vérifier au cours d'une méditation avec plusieurs personnes que le champ d'énergie que je créais pour moi se communiquait subtilement à l'ensemble de la pièce et à certaines personnes présentes. Le sens de la transmission m'était ainsi révélé. Tout cela m'apparaissait et me

paraît toujours très simple. Je n'ai pas besoin d'enve-
lopper ces états intérieurs de croyance. La sensation
se suffit à elle-même.

La réflexion m'amena par la suite à considérer que
cette jonction sexe-tête avait un double aspect archaïque et ultime.

Elle était sans doute pratiquée dans les temples de
la Déesse-Mère, dans les rituels de célébration de la
fertilité. Les hommes et les femmes se rencontraient
dans les temples et, sous l'égide des prêtresses, s'unis-
saient entre eux, sans liens affectifs particuliers. L'acte
sexuel prenait un sens cosmique, il était offert comme
participation au culte sacré de la fertilité. On imagine
facilement que l'atmosphère, les chants, l'absorption
de certaines drogues et l'énergie collective favori-
saient un dépassement des états ordinaires de
conscience liés à la survie et permettaient une entrée
dans le sentiment d'unité.

Ainsi en chacun de nous l'enfance de l'humanité
connaît ce lien sexe-tête. Il est inscrit dans la mémoire
de nos cellules, et pour l'adulte que nous sommes, il
s'agit d'avoir l'occasion de le retrouver. Dans l'état
actuel de notre civilisation, beaucoup l'ont perdu à
jamais parce qu'ils ne se donneront pas cette permission intérieure.

Pendant mon adolescence, l'aspect sacré du sexe
m'a été révélé très tôt, dès la première rencontre
amoureuse. Le choc fut profond et décisif parce que
la compréhension fut double : j'avais l'impression de
ne pas savoir jusque-là ce que le mot sacré pouvait
signifier malgré mon éducation catholique et ma ferveur de première communiante. Et je n'avais jamais
associé le sexe qu'à la sensation de plaisir. Je n'ai pro-
bablement pas assez de toute une vie pour approfon-

dir cette conviction intime du sexe sacré. C'était une entrée royale dans une féminité que j'avais malmenée dans la préparation des diplômes universitaires de philosophie. Les puissants plaisirs de la pensée se voyaient sérieusement concurrencés. Le féminin en moi tentait d'instruire le masculin.

Dès ce moment-là, je me suis consacrée à l'amour et à cet amour-là tout particulier. J'étais étudiante, et j'aurais pu ne jamais quitter cette chambre située au dernier étage d'un immeuble du Quartier latin qui me paraissait comme un navire-lit où flottaient mes extases. J'ai vécu ainsi pendant six mois comme un état de méditation permanent. La rue, les études, la vie dite « normale » me paraissaient sans intérêt. J'étais entrée en religion sans le savoir et je ne connaissais rien de cette religion. Plus tard je pus la nommer. Elle m'avait choisie, elle m'avait rattrapée. La relation sexuelle avait été pour moi l'occasion d'un éveil spirituel. Que s'était-il passé ? Il me reste le souvenir précis d'un orgasme au niveau de la tête, d'un éblouissement, d'un évanouissement, d'une plénitude. Ce qui m'avait été donné spontanément j'allais devoir le retrouver consciemment, volontairement et toute ma vie s'en trouvait ainsi orientée. C'est dans l'ignorance et l'innocence que je commençais un parcours qui n'était pas sans risques.

J'étais guidée intérieurement par ce que j'avais entrevu, la sexualité avait une grandeur, une noblesse que je ne risquais pas d'oublier mais j'avais aussi à affronter mes pulsions de destruction, ma violence et ma folie, tout le voyage de l'ombre.

Qui connaissait ce que je pressentais ? Qui pouvait m'en apprendre davantage ? Où étaient mes compagnons de jeu ?

Je ne souhaitais pas m'abandonner à l'Orient.

L'art du tantra est un art très ancien que l'Inde nous a transmis mais dont les origines sembleraient remonter précisément au temps des Déesses-Mères. Tantra veut dire tisser, relier, le masculin avec le féminin, l'énergie avec la conscience. Des bribes de Tantra me sont parvenues, par les uns et par les autres et par des lectures diverses. Malgré mon goût pour la culture, je ne me suis pas beaucoup intéressée aux théories. Le féminin en moi pouvait déjà affirmer haut et fort que l'essentiel était dans la pratique. J'allais désormais chevaucher le tigre, tenter de le mener là où je voulais, tenter aussi par moments de lui faire confiance, et surtout ne pas tomber, ne pas me faire dévorer par lui. L'intelligence profonde du désir et du plaisir ne doit pas faire oublier sa folie et son alliance avec la destruction.

Dans cette chevauchée périlleuse, l'axe sexe-tête est d'un grand secours. Nous sommes des cathédrales vivantes ou des bouddhas vivants. Nous portons tous potentiellement un cône d'énergie au-dessus de la tête. Entrer en contact avec lui, c'est se donner accès à une sagesse au-delà des mots.

En ce qui me concerne, je dois reconnaître qu'il m'a suffi d'entendre formuler que la possibilité de reconduire l'énergie sexuelle au niveau du cerveau existait pour que le phénomène se déclenche. Ensuite la découverte du muscle papillon est venue accentuer ce possible.

Je crois que confusément je tentais d'échapper dans ce développement personnel à l'emprise des croyances quelles qu'elles soient. Je n'y ai pas tout à fait échappé au début. Malgré cette expérience d'intervention active dans la méditation, une partie de moi souhaitait croire que le ciel descendait sur moi, que j'étais en quelque sorte visitée par l'énergie. Il était sans doute plus gratifiant pour moi à ce moment-là de me sentir élue. Mais cette croyance porte en elle sa limite. Pendant longtemps, j'ai très peu usé du muscle papillon, sans doute pour préserver cette idée de recevoir du haut. J'ai pu remarquer aussi au cours des séminaires que beaucoup de personnes se comportent de la même façon en toute inconscience. Elles n'incluent pas cette pratique dans leur autonomie. Elles attendent une situation collective et une induction ritualisée. Cette résistance à son propre redimensionnement tient, je crois, à la profondeur de la soumission devant une autorité divine.

Depuis quelques années, j'ai pu constater que cette découverte spontanée était largement partagée par tous les pratiquants tantriques. Certains l'appellent la pompe PC, et d'autres la pompe énergétique. Le mot pompe est suggestif, il indique un moyen de puiser au réservoir énergétique de la région du sexe et de l'anus et une action de remontée.

Je propose de considérer qu'il faut faire appel à une deuxième pompe, celle du cerveau, qui aspire en quelque sorte ce qui est envoyé par le bas. Ce deuxième mouvement est très perceptible, il demande un effort de concentration et il se traduit par une sensation de plaisir. C'est à ce moment-là que le cône d'énergie au-dessus de la tête commence à s'épanouir.

Comme toute pratique nouvelle, celle-là prend un certain temps pour s'inscrire dans le quotidien d'une vie mais, dès qu'on a connaissance de son existence, on ne l'oubliera plus jamais.

Depuis que j'ai introduit cet exercice dans tous mes

séminaires, les bénéfices à long terme de ceux-ci sont sans commune mesure. Tout se passe comme si cet outil d'autonomie énergétique permettait à chacun d'entrer en relation avec son maître intérieur et tout cela sans mots. L'inconscient s'aligne et s'apprivoise, devient un ami. Tout le travail de nettoyage, de guérison et de développement fait par ailleurs trouve l'occasion de s'harmoniser sur un axe intérieur.

Je ne suis pas en train de proposer l'exercice miracle. Je dis que l'accès à sa sensibilité intérieure n'est pas aussi long et difficile qu'on a bien voulu le faire croire pour des raisons de domination et d'asservissement. Je dis aussi que le travail verbal ne saurait se passer pour être efficace de l'érection énergétique.

Ce qui est possible en méditation l'est aussi pendant l'amour. L'énergie dégagée pendant la rencontre est appelée par chacun des partenaires au niveau de la tête. Mais il est préférable d'établir cette jonction individuellement en méditant ensemble face à face. L'intensité de l'élévation donne une qualité toute particulière à la rencontre sexuelle. En continuant de maintenir une partie de l'attention sur le haut du crâne, on permet à l'énergie sexuelle de se diffuser davantage dans tout le corps.

L'axe sexe-cœur-tête

Le cœur est une acquisition plus récente pour l'humanité et d'une certaine façon plus tardive pour chacun d'entre nous. Il est passionnant de se rendre compte que, dans l'évolution collective, le côté électif et affectif du couple s'est accompagné de l'instauration du patriarcat, c'est-à-dire de la prédominance de l'homme sur la femme, avec la fidélité sexuelle de la femme pour un seul homme. Les cultes dans les temples de la déesse avec leurs pratiques sexuelles ont résisté jusque vers l'an 600 après J.-C. Mais la lapidation et autres sévices ont eu raison de la liberté sexuelle des femmes. Les hommes ont commencé à devenir des pères, les hommes et les femmes ont domestiqué la fleur sauvage de l'amour. Les fleurs cultivées deviennent plus belles, plus vives, plus variées, plus grosses que les fleurs sauvages quel que soit leur charme. La culture de l'amour n'a pas manqué de produire aussi des fleurs nouvelles. L'amour particulier et l'amour universel ont partie liée. L'amour éclôt entre deux individus qui se regardent dans leurs particularités, leurs ressemblances et leurs différences. Le désir ne s'adresse plus à l'autre sexe mais à une personne. Même si le mariage est arrangé, deux individualités vont avoir à s'associer, à s'accommoder l'une de l'autre. De cette proximité prolongée, il peut naître des sentiments, négatifs ou positifs, des attirances et des rejets. Le cœur parle pour accepter ou refuser.

Dans notre monde beaucoup de cœurs refusent, se ferment, se blessent, gèlent. Plus un cœur est ouvert, plus il accepte, et plus il est heureux. On devrait écrire le mot « acceptance » en lettres d'or sur le cœur. Dans sa fermeture, le cœur se crucifié. Dans son ouverture, il devient extatique. Entre les deux, il a des élans d'affection, d'adoration même, des expressions de tendresse puis des replis. Il est volatil et changeant, il s'ouvre et il a peur de la blessure, il ne cesse d'aller et venir comme un escargot entre sa coquille dure et son corps vulnérable offert à l'air nu. Beaucoup de personnes ont ainsi un axe sexe-tête bien développé mais le cœur reste très faible. Certains gourous sont dans ce cas, ce qui les rend dangereux pour leurs disciples car ils disposent d'un pouvoir de conscience qui n'est pas éclairé par l'amour.

Dans la relation sexuelle deux personnes peuvent aussi être éveillées sexe-tête dans la rencontre et n'avoir aucun lien affectif. Certains récits témoignent de rencontres qu'on pourrait dire initiatiques avec des inconnus.

TÉMOIGNAGE :

« J'étais dans un hôtel, amenée là pour des affaires. Au repas dans la salle à manger j'ai remarqué un homme d'une trentaine d'années, c'est-à-dire à peu près mon âge à ce moment-là. J'ai tout de suite ressenti une grande attirance, il incarnait un type d'homme qui me paraissait très familier, très proche de moi sans que je sache pourquoi. J'ai eu un désir sexuel immédiat alors même que jusque-là je ne trouvais guère d'intérêt dans la relation sexuelle. Je me suis retrouvée en même temps que lui dans l'ascenseur. Il a souri et il m'a semblé qu'il s'arrangeait pour m'effleurer. J'étais brûlante et un peu honteuse. J'avais l'impression qu'il communiquait télépathiquement avec moi et qu'il répondait à mon désir. Dans le couloir, il s'est éloigné à grands pas et il est entré dans sa chambre. Au moment où je passais à mon tour, la porte s'est ouverte et il a fait une chose stupéfiante pour moi. Il m'a attirée contre lui, il a refermé la porte et il a commencé à m'embrasser longuement. Je ne me suis pas débattue. Toute ma volonté était annihilée. Je ne suis même pas sûre d'avoir eu une seule pensée de recul. Tout était si naturel. J'ai passé une nuit exceptionnelle, aussi bien charnelle que spirituelle. J'avais l'impression d'être baignée dans une énergie immense, de goûter pour la première fois le fruit délicieux de la vie. Nous ne nous sommes rien dit, rien raconté, rien demandé, je ne connais pas son nom. J'ai découvert la beauté de la rencontre entre un homme et une femme indépendamment de ce qu'ils sont dans la vie, des engagements qu'ils ont pris, du métier qu'ils font, de l'estime, de l'attachement qu'ils peuvent avoir l'un pour l'autre. J'ai rencontré le désir nu. »

Entre ces deux êtres il n'y avait pas de lien affectif, il y a eu éclosion d'une beauté énergétique. Cette magie pourrait-elle se répéter sans que s'approfondisse le lien affectif ?

Le cœur a un autre langage, il se nourrit de signes de reconnaissance, il est une incandescence moins du sexe que de l'âme. Il veut non seulement l'instant mais aussi l'éternité.

Je t'aime pour toujours. La beauté de l'âme que j'ai reconnue en toi a fait frémir mon âme, ta soif a rencontré la mienne. Je ne peux pas oublier cela, même si je ne devais plus jamais te rencontrer sur cette terre.

Dans le corps, le centre d'énergie du cœur se trouve à l'intersection de la verticale et de l'horizontale des bras. Le cœur est le centre de la croix humaine. La religion du Christ correspond bien au développement de cette dimension. « Aimez-vous les uns les autres. » Le cœur se situe au-dessus du sexe et du ventre. Le passage le plus difficile dans l'évolution se situe entre le plexus solaire et le cœur. Le plexus solaire représente l'affirmation de soi, la capacité à dire non et à dire oui, le positionnement, l'expansion de l'ego : « Je suis... » Pour épuiser les caractéristiques de ce que je suis, je peux parler pendant des jours, me définir encore et encore, pour m'apercevoir que je ne suis peut-être ni ce que je fais, ni mon corps, ni ma fonction, ni mes engagements, ni... Quand il ne reste plus que l'existence de l'instant, je suis prêt à passer au-delà de l'ego, dans ce cœur si délicieux qui m'ouvre à l'autre.

Nous faisons tous des incursions dans le cœur au cours d'une journée, mais nous passons la majorité de notre temps dans le ventre. Lorsque la proportion change, l'engagement de l'être dans la voie spirituelle a commencé.

Le cœur est central. Le risque d'un tantrisme trop focalisé sur le sexe, c'est de ne pas retrouver l'eau de l'âme. Il semble que certains êtres ne développent leur cœur que lorsqu'ils se sentent alimentés par le feu du pouvoir du premier centre et du troisième, celui de l'ego, puis protégés par le soleil de l'esprit. Car le cœur est la plus grande zone de vulnérabilité de l'être. Quand on écoute les chansons d'amour, on se rend compte à quel point la blessure occupe une place importante : « Ne me quitte pas. » Pour un cœur souvent coupé qui se suffit à lui-même, l'énergie d'amour se transforme facilement en amertume ou en haine.

Le développement personnel a beaucoup divulgué la notion d'amour inconditionnel. C'est une formulation importante même si elle n'est pas facile à incarner. « Si je t'aime, je t'aime sans condition. » Le cœur est une source et pour ne pas empoisonner cette source, j'ai à lâcher prise encore et encore avec mes jugements critiques sur toi et sur moi. Une chanson d'Édith Piaf disait déjà cela joliment. « Tel qu'il est, il me plaît, il me fait de l'effet... boiteux, contrefait, etc. »

Entretenir de la rancœur vis-à-vis de certains aspects de toi, vouloir te changer « pour ton bien », adopter un rôle parental et censeur à ton égard, c'est m'engager dans la mort de l'amour à petit feu.

Parce que l'amour se conjugue à l'inconditionnel, il appelle aussi « le vaste ». Plus le cœur se dilate, plus la sérénité s'installe. Le cœur a beaucoup de fraîcheur, une éternelle jeunesse.

Dans la rencontre des corps, la lenteur, la délicatesse, l'infusion réciproque des énergies masculine et féminine permet aux deux cœurs de fusionner et parfois de s'embraser dans une énergie orgasmique. Simplement, en déplaçant sa main le long du corps de sa compagne un homme conscient déclenchera chez elle un orgasme cardiaque et inversement.

TÉMOIGNAGE :

« J'étais dans une recherche spirituelle et je vivais une période d'abstinence sexuelle, une sorte d'engagement vis-à-vis de moi-même que je ne voulais en aucun cas transgresser. J'ai rencontré un homme à cette période-là qui me plaisait beaucoup. Après plusieurs rencontres, il m'a invité à dîner chez lui. Je me souviens, il était peintre, il habitait un atelier au dernier étage d'un immeuble de quartier, le vingt-quatrième étage je crois, et la vue de Paris était fabuleuse. Je me sentais en affinités avec cet homme. Le dîner fut délicieux. Nous étions tous les deux dans un état d'électricité intense, mais il connaissait la situation. Je me souviens d'un escalier en colimaçon qui conduisait à son lit. Nous avons commencé de monter cet escalier. Nous avions parcouru environ la moitié des marches quand je me suis brusquement arrêtée et je me suis assise. Il s'est assis à son tour, m'a prise dans ses bras. Il m'enveloppait entièrement comme si j'avais été son enfant ; nous sommes restés silencieux. Il parcourait mon visage et mon cou avec des petits baisers, nos lèvres se sont jointes et, à ce moment-là, nous avons été parcourus l'un et l'autre d'un tel courant que nous avons eu simultanément une explosion orgasmique au cœur. Nous étions étonnés, émerveillés l'un et l'autre par ce cadeau inattendu. Ce soir-là, nous ne sommes pas allés plus loin. »

Ce surgissement spontané est relativement rare mais deux personnes qui pratiquent la montée consciente de l'énergie dans le corps peuvent rechercher volontairement cette fusion subtile, soit au niveau du cœur, soit progressivement en montant du sexe au cœur et à la tête.

Un rituel de rencontre

On peut résister à la notion de rituel au nom de la spontanéité mais l'un n'exclut pas l'autre. La mise en scène de la vie est importante. En dehors de toutes convictions religieuses, chaque personne devrait pouvoir disposer d'un lieu, d'un coin, qui représente son soi, le cœur silencieux de son être. Dans une maison, il est important de réserver une place où il ne se passe rien, où l'on se recueille paisiblement, quelques minutes par jour.

La méditation n'est pas une pratique orientale. Vous pouvez vous asseoir en demi-lotus sur un coussin, si cela vous est agréable, mais vous pouvez aussi adopter une chaise ou un fauteuil. L'essentiel est dans cette compréhension de l'intériorité. *Je ferme les volets, entendez : je ferme les yeux et je rentre en contact avec un moi plus profond.*

Au début, vous aurez toutes sortes de pensées. Vous apprendrez à les regarder passer. Et puis, peu à peu, vous vous servirez plus spontanément de la respiration pour rafraîchir votre être et modifier votre niveau de conscience.

Vous vous stabiliserez dans l'axe sexe-cœur-tête, vous solliciterez le muscle papillon en inspirant et vous vous centrerez sur le cœur. Vous pouvez visualiser une succession de cercles qui s'élargissent à partir du centre du cœur. À chaque inspiration, vous remplissez le cercle. Vous pouvez rester dans une méditation sur le cœur. Vous pouvez aussi continuer et commencer à chanter sur la voyelle A. Vous serez étonné au bout de cinq à dix minutes de la puissance du son sur votre état d'élévation. Pour certains êtres, le son est vraiment la clef de passage important. Vous portez ensuite votre attention à l'emplacement dit du troisième œil. Les yeux fermés, vous regardez l'espace intérieur derrière le front. Il se peut que l'écran soit noir, mais il est aussi possible que l'écran s'allume, que vous commenciez à voir des lumières et des formes, parfois des champ de fleurs ou des mandalas d'une grande beauté. Pour finir, vous entrez en contact avec le haut du crâne et souvent vous commencerez à sentir ce cône d'énergie que portent la plupart des bouddhas sur le sommet de leur tête. Votre respiration devient très fine, imperceptible et vous goûtez un sentiment d'union intérieure.

Ce qui vient d'être dit n'est qu'indicatif. L'essentiel,

c'est de s'accorder le lieu et le temps réservé à son intériorité, d'accepter et d'instaurer cette consécration. Quand on n'a pas de croyance ou de religion particulière, la découverte de la vie intérieure se fait souvent très lentement, précisément parce qu'il n'y a pas de prétexte collectif à extraire du quotidien quelques instants de diamant. **Créer un lieu et un temps, c'est se donner une chance, c'est devenir le bâtisseur de sa cathédrale intérieure.** Les croyants ont dépensé beaucoup de temps et d'énergie pour édifier les églises. Croire en un dieu extérieur et le révérer est en un certain sens plus facile que de révérer le divin qui est en soi. Nous traînons très souvent un mauvais amour de nous-mêmes en arrière fond, comme aussi d'ailleurs un moi sexuel mal accepté. Ce sont des obstacles à l'amplification de notre existence.

Créer un espace consacré à la méditation prépare à la pratique d'un espace consacré à l'amour. La pièce a besoin d'être chaude avec une lumière tamisée, souvent quelques bougies. Dans mon travail, je propose toujours trois bougies. Quand j'allume celle du centre, j'indique que nous cherchons à entendre la voie du milieu. Quand j'allume toutes les bougies, je propose d'explorer toutes les facettes de la vie, une chose et son contraire et le milieu. Par exemple, dans l'acte amoureux il peut y avoir de la frénésie, puis de l'immobilité et au milieu on aurait la lenteur. Cette symbolisation parle sans cesse à notre inconscient et nous aide à intégrer le jeu de la vie. Quand une personne se trouve en difficulté, on découvre toujours qu'elle s'est bloquée dans un pôle et qu'elle a oublié l'autre, ou encore qu'elle oscille d'un pôle à l'autre sans se souvenir du milieu.

Des fleurs, une bonne odeur dans la pièce, quelques tapis, quelques coussins, un appareil permettant d'écouter de la musique créent une atmosphère différente. Une statue, un tableau, une phrase joliment calligraphiée, une pierre apportent un élément symbolique au moment présent. Sur un plateau, on prévoit des fruits, des boissons, des gâteaux secs, des chocolats.

Chacun prendra un bain ou une douche, séparément ou ensemble, et parfumera légèrement son corps. Sur le seuil de la pièce, on embrasse l'espace et on le remplit mentalement de lumière blanche en respirant trois ou quatre fois.

Dans la mesure du possible, on réserve sa journée. Les deux partenaires pénètrent dans la pièce et s'assoient l'un en face de l'autre, les genoux se touchant. Ils respirent et contractent le muscle papillon, en attirant l'énergie au niveau du cœur. Ils se saluent en prononçant intérieurement une phrase comme : « Je salue le divin qui est en toi. » L'homme regarde la déesse dans la femme qui est en face de lui et la femme regarde le dieu, le principe masculin. Ils commencent une contemplation de l'âme en se regardant dans les yeux. Ils prononcent intérieurement « Je t'aime » en s'adressant aux deux yeux, puis à l'œil droit, puis à l'œil gauche. Si les émotions montent on les laisse passer.

Les deux fronts se mettent l'un contre l'autre, créant un contact fusionnel de grande qualité. Une sorte de chatouillement, de picotement se produit derrière le front, forme de plaisir et d'accord télépathique. Les deux corps, les deux énergies se synchronisent pendant le temps qui leur convient. Parfois une lumière blanche ou bleue se manifeste.

Ils s'allongent l'un contre l'autre et commencent

tous les jeux préliminaires de l'amour, baisers et caresses, sans se laisser aller à l'orgasme. S'ils le ressentent, ils se redressent, recouvrent leur corps nu d'un drap et commencent à chanter et bourdonner en se tenant les mains. Dès que leur désir de fusion s'est ainsi élevé, ils commencent à se pénétrer très doucement en adoptant un rythme de va-et-vient très lent.

Puis ils s'arrêtent complètement et restent immobiles en visualisant un cercle de lumière qui baigne leurs sexes. Ils commencent alors à respirer de manière inversée tout en visualisant le trajet de l'énergie... La femme inspire en imaginant que l'énergie du sexe monte vers la tête. Elle expire dans la bouche de son partenaire en imaginant que l'énergie redescend dans le sexe de l'homme, puis dans le sien et elle inspire à nouveau en boucle. L'homme inspire le souffle de sa partenaire, le descend vers les deux sexes et expire en imaginant qu'il remonte vers la bouche de la femme. Cette intimité physique et psychique apporte une énergie très particulière qui peut devenir extatique. Le point du troisième œil s'en trouve souvent activé ainsi que le sommet de la tête. La sensation sexuelle et la sensation de lumière dans le cerveau se répondent. Il n'y a plus d'homme, plus de femme. Il n'y a que l'amour.

Ce n'est qu'à titre indicatif qu'un rituel de rencontre est évoqué, chaque instant est magique, chaque instant est à lui-même son propre maître, les gestes, les circonstances ne sauraient se laisser codifier. Le seul mérite de cette évocation consiste à stimuler l'imagination.

Combat ou éclosion

Tout cet apport de la conscience dans la rencontre sexuelle tend à une mutation d'énergie, à une illumination des corps et à une caresse des âmes. Le désir dans ce qu'il a de plus grossier appelle à une utilisation de l'autre, à une exploitation au service de son propre plaisir. Ce qui a fait dire à certaines féministes que les hommes se masturbent dans le sexe de la femme. L'amour sans regard, sans présence, est un corps-à-corps qui ressemble à un combat. Le vocabulaire est guerrier : « Je te prends, je monte à l'assaut, je te monte, je t'engrosse. » C'est à qui tiendra l'autre et le vainqueur se veut souvent masculin. Quand l'homme n'est que virilité et la femme que passivité, il n'y a guère dans la rencontre qu'un exercice compulsif dénué de toute magie, qui devient même ennuyeux, répétitif et désagréable. Le sexe contraint, le sexe consenti pour faire plaisir, le sexe par devoir constituent des formes poisonneuses pour l'âme. Quelque chose d'essentiel est atteint, la lampe de l'être vacille, tend à s'éteindre. Il y a des maladies du sexe moins visibles mais tout aussi pernicieuses. Le sexe qu'on fait par habitude, le sexe rapide au moment de l'érection du matin, le sexe sans joie des soirs trop fatigués ou trop arrosés. Il arrive qu'on fasse le sexe par idée du sexe et comme pour se rassurer.

Honorer le sexe, c'est le faire passer du besoin à l'échange. Les corps se rencontrent dans l'esprit d'une célébration en dehors de toute idée, de honte, de tentation ou de péché. Le sexe, c'est beau, magnifique, c'est une force intense reliée à la douceur du cœur et à la lumière de l'esprit.

226

L'accord entre le haut et le bas permet à ce milieu qu'est le cœur de s'épanouir dans une confiance toujours nouvelle inscrite dans le corps. Le cœur a besoin de cette confiance pour éclore encore et encore. Du bas vers le haut, et du haut vers le bas, il y a comme un affinement, une voie de passage qui s'ouvre et se thésaurise, un trésor d'éternité qui se constitue dans l'invisible. C'est une sensation, une croyance, que chacun reste libre d'adopter ou de rejeter. Toute étreinte réussie pourrait bien être un apprentissage des mondes subtils et du passage de la vie à la mort.

Une sexualité consciente

L'une des beautés de l'acte sexuel conscient, c'est de faire accéder chacun des partenaires à l'androgyne en lui. L'homme s'abandonne à son aspect passif et la femme rencontre son aspect actif. Plus une femme est éveillée et plus elle manifeste d'initiative dans l'amour. La position dite du missionnaire où la femme est allongée et couverte par le corps de l'homme n'est pas proscrite mais d'autres positions interviennent, notamment celle où la femme chevauche l'homme, ce qui lui permet de proposer son rythme pendant que l'homme se laisse caresser. Les deux partenaires peuvent aussi être couchés ensemble sur le côté, ou assis en demi-lotus l'un dans l'autre. Cette position est considérée comme la plus favorable pour rechercher ensemble une union de fusion. Mais il n'y a pas de règle absolue et le confort de la position varie en fonction des tailles et des poids.

Sur le plan psychologique, c'est un jeu délicieux

dans un couple de se proposer mutuellement une alternance de rôles. Pendant une demi journée, je fais tout ce que tu veux et pendant une autre demi-journée, c'est l'inverse. Ce jeu est très riche car il explore la relation dominant-dominé. On se découvrira peut-être du plaisir à se soumettre et aussi des résistances ou beaucoup de plaisir à donner des ordres et aussi des scrupules. Dans l'amour on l'explorera l'actif et le réceptif. La griserie d'une rencontre très active est bien connue. Plus rarement, le couple entrera dans la lenteur du non-faire. Quand ils sont fusionnels et immobiles, l'homme et la femme sont dans la contemplation intérieure et découvrent une forme de béatitude qui n'a plus besoin de l'action. Ils sont dans la féminité de l'être, la féminité de la vie. Ils vivent une transformation de l'énergie, un allègement.

Ouvrir ses sens à l'extase de vivre

Découvrir une chose et son contraire. À la fois l'énergie sexuelle est centrale et le sexe n'est pas plus important que le petit doigt. Si je porte mon attention sur un point du corps, quel qu'il soit, il peut devenir un centre d'énergie.

Dans la mesure où la société a mis une énergie considérable dans la limitation du sexe et a même posé l'anathème sur la sexualité, beaucoup de personnes ont des blocages et des censures dans cette partie du corps. Dans la mesure où cette polarisation négative se résorbe au profit d'un intérêt porté au corps tout entier, le sexe perd de son importance.

L'art de vivre qui nous vient du tantrisme n'est pas

sexuel mais sensuel. Sur les cent douze propositions tantriques, seules trois ou quatre concernent l'union sexuelle, toutes les autres s'adressent aux portes des sens ou à la capacité plus globale de créer des états de ressentir intérieur par l'imaginaire et la visualisation. Encore et toujours, il s'agit d'une qualité d'attention pour entrer en contact avec le corps subtil et l'axe médian par lequel l'énergie remonte du sexe vers le sommet de la tête.

Les quatre premières méditations portent sur le souffle, sur les deux temps de l'inspir et de l'expir et sur les deux temps de rétention, poumons pleins et poumons vides. Les cinq suivantes traitent de la montée de l'énergie, par l'intermédiaire du souffle dans les différents centres d'énergie jusqu'à l'union cosmique suprême.

Les Méditations sur les sens leur succèdent. Six concernent la vue, la plume de paon, un mur vide comme dans le zen, un regard tourné vers l'intérieur du crâne, un regard intérieur sur le canal médian semblable par sa finesse à la tige de lotus. On passe ainsi de la contemplation d'un objet extérieur à la visualisation imaginaire. La treizième méditation propose de bloquer les ouvertures des sens, la bouche, les oreilles, le nez pour mieux concentrer l'attention sur le point entre les sourcils. Cet exercice est aussi pratiqué en yoga.

C'est le son qui est exploré dans les cinq suivantes. Le son absolu est celui du cœur, comme une musique de l'âme qui peut être aussi bien silence. Le son émis, notamment OM ou AUM permet de partir du cœur avec le A, d'accéder à la gorge par le U et au palais par le M. Sa résonance va vibrer dans le sommet du crâne. Le son écouté, suivi jusqu'à la fin du son, conduit également à la splendeur du firmament.

Les cinq méditations suivantes concernent la perception du corps et le sens tactile. Le toucher est un sens privilégié parce que global. « Évoquer l'espace illimité en son propre corps » ou « faire le vide » ou porter son attention sur n'importe quel point du corps et aborder la vacuité, ou évoquer son corps imprégné d'éther, toutes ces pratiques visent un élargissement, une sortie du corps. Ainsi on n'entre dans les sensations que pour mieux en sortir. **Le retournement consiste à passer au-delà de la sensation par l'intensité même à laquelle on s'abandonne. Accepter pleinement l'existence du corps à travers ses sens c'est aussi s'apercevoir qu'il n'existe pas !**

Dans la quarante-neuvième méditation, l'accent est mis sur le goût mais aussi l'odeur et la sensation tactile des aliments : « Dans cet épanouissement d'allégresse que procurent la nourriture et la boisson, il faut s'abandonner sans réserve à la plénitude éprouvée : ainsi on accédera à une félicité parfaite. »

Dans la cinquantième méditation, le son à nouveau entre en jeu : « Si le yogi se fond dans ce bonheur sans rival que suscitent les chants et autres plaisirs esthétiques, sa pensée bien apaisée, tout mêlé à cette jouissance, il s'identifiera à elle. » **Il est important de ressentir à quel point cette invitation à l'ouverture des sens, à l'extase de la sensation n'est pas un esthétisme, une licence, ou même un épicurisme, elle est proposition d'éveil et de conscience.**

La cinquante-huitième méditation propose aussi une technique du son : « La bouche largement ouverte, tenant la langue au centre, si l'on fixe sa conscience sur ce centre en récitant mentalement le son Ha, on va se fondre dans la paix. »

« Là où la psyché trouve sa satisfaction, là même on doit la river résolument : car c'est bien là que l'essence de la suprême béatitude se révèle sans restriction. »

Le désir parle du centre et tend à révéler le centre. Le bonheur ramène à l'être. L'éveil est en affinité avec la joie.

La vue encore, dans la cinquante-troisième méditation : « Lorsque sous le rayonnement du soleil, d'une lampe, une portion d'espace paraît tachetée, qu'on y fixe le regard : et là l'essence intime du Soi flamboiera. »

Les zones de flou, d'ombres et de lumières permettent ainsi d'entrer dans le soi.

Toutes ces propositions ont en commun d'attirer l'attention sur une possibilité de l'être d'utiliser à chaque instant l'accumulation d'énergie produite dans la manière d'utiliser ses sens en profondeur. La félicité se cache à chaque instant derrière chaque perception. Quelle est celle qui va me déclencher ? Quelle est celle qui me convient le mieux ? Certains seront plus sensibles au toucher, d'autres au son. L'accès à mon être se trouve dans la fusion que peuvent me procurer mes sens.

« À tout instant, par l'intermédiaire des sens, la Conscience absolue se révèle. Que l'on s'absorbe en elle seule et l'on découvrira la plénitude essentielle ».

Les sens conduisent au sens et à l'essence

J'ai créé un séminaire qui s'intitule « Carpe Diem ». Il porte sur les cinq sens et, comme il dure cinq jours, chaque jour est consacré à l'exploration d'un sens. Il s'agit d'ouvrir son attention de manière beaucoup plus poussée sur l'odeur, le son, le toucher, le goût, la vue. De jour en jour, la capacité à ressentir augmente. Les visages changent, s'ouvrent, la respiration s'intensifie, la joie de vivre monte. Chacun est sollicité dans sa capacité à augmenter sa joie de vivre, à explorer sa profondeur esthétique, et à découvrir le lâcher-prise du réceptif. Le monde devient un immense réservoir de méditation et de jouissance. Voir. Entendre. Goûter. On s'aperçoit qu'en bandant les yeux, les autres sens en sont affinés. La musique est écoutée différemment. Un parfum est reçu plus immensément si on est allongé, complètement détendu, yeux clos. La saveur elle aussi prendra une ampleur nouvelle si la surprise est totale et que le mets arrive dans la bouche sans que l'intellect ait pu le nommer, l'appréhender. Se laisser guider dans la nature yeux bandés, et n'avoir plus que le toucher pour repérer, aimer, est une expérience d'autant plus riche qu'on la fera lentement en respirant et que le guide saura orienter vers des matières très différentes.

La cérémonie des sens consiste à se laisser solliciter, complètement passif et yeux bandés. Plus l'officiant est imaginatif et délicat, plus l'expérience sera profonde, sensuelle, enivrante.

Quand on a pu ainsi au cours d'une journée accumuler, ouvrir sur toute une richesse de sensations on s'intériorise, on ramène au centre du cœur cette moisson d'extériorité et par la respiration on canalise une montée d'énergie.

La méditation sur le dessin des plumes de paon agit comme un mandala. Les cinq nuances de couleurs évoquent les cinq sens. Le son absolu vient de l'intérieur du cœur.

Les cinq sensations sont parfois classées dans l'ordre suivant : l'ouïe, le toucher, la vision, le goût, l'odorat. L'éther est relié au son, à l'ouïe, aux oreilles, à la parole, à la voix. L'air au son et au toucher, à la peau, aux organes sexuels, le feu au son, au toucher et à la vue, aux yeux, à l'anus. L'eau au son, au toucher, à la vue, au goût, à la langue, aux mains. La terre ajoute l'odorat, le nez et les pieds.

Plus l'être se remplit par ses sens, plus il accède à l'évidence de la joie de vivre. Il s'autorise à aborder l'existence non plus par les problèmes, les blessures, l'inquiétude et la peur mais par l'ouverture. Il entre en contact plus permanent avec sa capacité à aimer et il écoute son sens de la beauté. Une voie initiatique qui passait par l'extase a toujours existé dans toutes les traditions, mais c'était une voie réservée à quelques-uns dont on pourrait dire qu'ils étaient touchés par la profondeur de la grâce : les mystiques, les soufis, les troubadours...

Nous n'avons pas d'enseignement qui s'adresse à tous, qui légitime et donne accès à une sagesse du bonheur. La Rédemption et l'éducation de la sexualité n'ont pas trouvé une tonalité qui échappe aux excès du trop ou du pas assez. Le danger d'une initiation qui part des sens ou de la sexualité, c'est de se perdre dans l'exploration sans fin, de se noyer dans la licence, ou de se contenter de satisfaire son ego par un certain art de la rencontre sensuelle conduite avec raffinement. L'homme ou la femme qui se sentent en quelque sorte initiés, qui disposent en tout cas d'une connaissance plus affirmée, peuvent user d'un pouvoir sur les autres.

Ici et là, on entend parler de tantrisme. La conscience collective soupçonne qu'il y a dans cette très vieille connaissance reliée à la femme une solution pour l'évolution en cours. Je crois pourtant que le lien avec le cœur n'a pas encore été trouvé, que les formes modernes d'un tantrisme illuminé par la voie du bien-aimé se cherchent encore.

La voie du Bien-Aimé

Le thème du vide est solidaire de celui du cœur et aussi du centre, il est le moyeu de la roue qui permet à celle-ci de tourner. Le vide obtenu à partir du plein. C'est dans ce paradoxe et ce retournement qu'il faut chercher.

Il est un temps pour tout mettre à l'extérieur. Il est un temps pour ramener à l'intérieur la dimension d'éveil et son écho permanent.

Anne est une jeune femme comme beaucoup d'autres, seulement peut-être un peu plus sensible, plus rêveuse, plus délicate. Sa vie s'est déroulée selon un canevas assez classique. Elle s'est mariée à un homme qu'elle pensait aimer, elle a eu une petite fille. Cet homme l'a quittée pour une autre femme. Elle est restée avec sa fille, elle a exercé son métier d'institutrice. Bien qu'elle soit très jolie, elle s'est maintenue dans une réserve prudente vis-à-vis des hommes et sa vie a glissé dans une fadeur déprimante. Jusqu'au jour où elle a décidé d'aller chanter dans une chorale. L'amour est entré dans sa vie comme un coup de tonnerre et tout a basculé. Cette jeune femme timide s'est habillée avec recherche, son regard cherchait constamment celui du professeur de chant. Elle vivait dans l'exaltation et le bouillonnement de tout son être, le baiser du prince qui éveille la princesse d'un long sommeil. L'histoire peut paraître banale mais elle montre pourtant une voie d'une immense fécondité. Ce temps de la rencontre, ces prémices où deux êtres se cherchent subtilement sans que rien soit dit sont particulièrement intenses et spirituels car toute l'énergie est concentrée dans le psychisme. Au bout de quelques mois, la jeune femme se décida à aborder cet homme qui la dévorait des yeux sans jamais lui adresser la parole. Elle osa lui dire ces mots très simples : « Je vous aime et vous m'aimez. » Elle ajouta même : « Grâce à vous, je m'aime. » Il la regarda longuement avant de laisser tomber : « Je ne vous aime pas, je vous désire comme je n'ai jamais désiré personne. » Il l'attira dans ses bras pour un long baiser. À partir de là, l'histoire pouvait devenir celle d'une aventure ou d'un amour avec ses péripéties. Mais cet homme qui était marié prit la décision de tout arrêter là, de ne pas vivre cette relation.

Anne tout d'abord ne le crut pas et se promit de venir à bout de sa résistance. Elle découvrait quelque chose de très nouveau pour elle. Non seulement elle l'aimait mais elle le désirait ; tout son corps brûlait, elle se demandait ce qui lui arrivait, elle se demandait si toutes les femmes amoureuses avaient connu cette intensité-là. Elle se sentait dévorée de l'intérieur. Elle le voyait plusieurs fois par semaine dans le cadre de la chorale, mais elle se heurtait toujours à ce même refus obstiné. Il devenait dur, fermé, hostile, elle était de plus en plus offerte, pantelante et vulnérable. À travers elle, il tentait de tuer ce désir sexuel sur lequel il avait mis un déni. À travers lui, elle magnifiait le feu du désir. Entre eux, sans qu'ils le sachent, se jouait un des combats les plus arides du monde, celui pour lequel des milliers de gens se sont entre-tués, un combat de valeurs, un combat pour la vérité, pour avoir raison. Ils incarnaient deux conceptions du monde opposées : la chair conduit à Dieu ou la chair éloigne de Dieu.

Pour ne pas se détruire avec cet amour, Anne a cherché une aide, entreprit une démarche de connaissance de soi, écrit son histoire, la mise à distance d'elle-même, et a tenté de transformer sa blessure en perle. Cet amour est toujours là, il brûle toujours mais peut-être est-il simplement chaleur maintenant. Elle a éveillé sa capacité à aimer, elle rencontre la beauté des autres comme elle ne l'a jamais rencontrée. Le Bien-Aimé extérieur n'a pas pu ou su tenir les promesses de l'amour. Elle-même peut-être n'a pas souhaité se confronter aux réalités d'une relation, car il n'est pas possible qu'elle soit uniquement la victime de ce qui s'est joué, elle en est aussi l'acteur. Le Bien-Aimé intérieur, lui, éclôt progressivement et la transforme en profondeur, car elle n'a pas renoncé à cultiver en elle cet amour.

Apprendre que l'amour n'est pas dehors mais dedans, c'est se maintenir dans la douceur et la caresse de l'accueil. Toutes nos histoires d'amour nous creusent ainsi goutte à goutte dans un apprentissage essentiel. Le Bien-Aimé de l'âme, l'amant divin représente la quête, l'attente aimée. Saint Jean de la

Croix dans *la Nuit obscure de l'âme* nous a livré un des plus beaux textes témoignant de cette union :

> *Le visage penché sur le bien-aimé*
> *Tout cessa pour moi et je m'abandonnai à lui*

C'est une constante nostalgie, un désir ardent parce que, dans l'état intérieur, les choses ont toujours deux faces, aussi opposées soient-elles. Cet appel de l'autre, appel d'une autre partie de soi, appel de l'unité, de l'union, s'accompagne de la certitude que tout est déjà là, que le sens est trouvé, que l'essence est contactée. Le Royaume n'est pas pour demain, il est à l'intérieur. Cet état de totale certitude n'est cependant pas permanent. Par moments, le mental tient toute la place avec ses doutes, son sentiment de vide et de désolation. Plus un être est touché par cette plénitude, plus il est vibrant et intense, plus il entreprend de grandes choses et, de cercle en cercle, permet une résonance d'éveil avec d'autres. Ainsi l'amour se révèle désir pour quelqu'un, devient don, échange, réciprocité et il devient aussi plus vaste, plus détaché et plus attaché, comme un rêve de soi, plus soi que soi, comme une composante spirituelle de l'amour ou comme une composante érotique de l'esprit.

La force de dépassement en nous, la nostalgie du divin, nous sollicite sans cesse dans l'évolution. C'est elle qui nous précipite dans les brûlures d'une passion humaine. Tout se passe comme si une relation n'était jamais qu'une traduction imparfaite de cet appel. Mais, en même temps, toute rencontre est infiniment précieuse. Elle nous éveille, nous fait pressentir l'infini qui nous habite. Elle ouvre les portes de l'extase érotique, des vagues du donner et du recevoir, elle invite à l'écoute, à l'acceptation de l'autre, au pardon, à la communication approfondie et à la communion.

À chaque instant cohabitent le moi ordinaire et le moi élargi. Prendre conscience de cette double nature, c'est être à la fois dans l'espace-temps et dans le présent éternel. Toute personne qui développe cette coexistence prend une profondeur de champ qui la rend habitée de présence. Elle a en quelque sorte « arrimé son ange ». Le bien-aimé n'est pas entièrement connu, la quête continue mais elle est consciente d'elle-même, heureuse de son mouvement non achevé.

Dans notre époque, cet appel du sens est particulièrement marqué parce que nous vivons une crise des valeurs traditionnelles. L'émergence individuelle est une chance et un risque. Chacun est appelé à penser par soi-même. Le bien-aimé n'est plus une figure culturellement offerte. Plus que jamais peut-être, c'est le profane qui est chargé de nourrir le sacré. Une nouvelle philosophie de l'amour tente de naître.

CHAPITRE VII

Ombres et lumières

Je suis le pèlerin, le questeur d'amour et ma soif jamais ne s'étanche. En moi la joie est plus profonde que l'affliction.

« La douleur dit "Passe et péris" mais toute joie veut l'éternité, la profonde éternité. »

Nietzsche

J'ai appris à faire provision de plaisir et de joie, j'ai appris à développer ma capacité à aimer à partir des quatre pôles de l'amour, j'apprivoise les magies du subtil et je tisse patiemment, voluptueusement, la trame des fils qui relient le corps et l'âme, la conscience et l'énergie, mais je n'en ai pas terminé avec les ombres de la solitude, de la peur, de la blessure et de la mort.

La solitude et la rencontre

L'abeille fait son miel pendant la rencontre : comment vivre l'inévitable retour à la solitude ? Comment gérer cet appel du fusionnel et ce désir de liberté, d'affirmation individuelle qui cohabitent en moi ?

Mon parcours est bien un trajet d'individuation toujours plus assumé. Je me différencie de plus en plus en reconnaissant mon essence propre, ma singularité profonde, ce qui me rend unique. Je nais seul et je meurs seul bien qu'accompa-

241

gné. Dans le même temps, l'amour me fait basculer dans le fusionnel et, plus j'avance dans mon évolution, plus j'assume ce paradoxe : je suis différencié et je suis fusionnel. Vivre ce nouveau paradoxe est possible par un apprentissage fondamental qui épouse le mouvement de la vie : l'intégration d'entrer et de sortir.

Dans un premier temps je me subis. Je suis habité par des pensées, des états d'âme, des joies, des douleurs et je suis comme le passager arrière du véhicule, je ne décide pas où je vais. Dans un deuxième temps, je m'épouse moi-même, j'accompagne consciemment mes entrées et mes sorties. De la même manière, je subis d'abord mon désir et mon amour de l'autre et progressivement j'évolue vers un amour conscient.

La fusion avec l'autre pendant quelques heures, quelques jours ou quelques années est délicieuse à condition de ne pas devenir étouffante. Elle peut même être un état de sainteté. Le fusionnel ne représente pas un nouveau péché mais il faut savoir qu'il a aussi un visage destructeur.

Deux amants qui font passionnément l'amour pendant quelques jours ressentiront tout à coup un vide de l'âme, un désert du cœur, parce qu'ils ont trop investi dans le fusionnel physique sans se donner d'espace pour un ressourcement de l'âme.

La solitude et le fusionnel sont deux tentations extrêmes dans lesquelles notre goût de l'absolu tente de se réfugier. Il y a ceux qui préfèrent rêver l'autre, ou ne pas rêver du tout, se circonscrire dans des activités bien réglées, rassurantes. Il y a ceux qui ne sont jamais seuls et qui s'enivrent de contacts comme on s'enivre de vin. Est-il possible de trouver un troisième terme, une solitude pleine et un fusionnel qui continue à laisser de l'espace ? Ce troisième terme existe, il est acceptation et lucidité.

Acceptation de la multitude de visages parfois contradictoires que nous portons en nous.

J'ai besoin de ma solitude pour écouter l'appel de mon âme, pour réaliser mes projets. J'aime me concentrer sur moi-même, approfondir, progresser, chercher, réfléchir, faire le blanc. J'aime aussi écouter la musique de l'autre, lui faire entendre la mienne, échanger, rebondir, favoriser, prendre du temps pour « être avec ». J'ai le droit d'aimer ma solitude sans que l'autre le vive comme un manque d'amour.

Au début d'une relation nous sommes tentés parfois de nous investir complètement dans l'autre, de tout donner, d'entrer dans le fusionnel comme on entrerait en religion.

À l'occasion de l'amour, je découvre une grâce merveilleuse, celle de l'altruisme. Provisoirement, je suis délesté du poids de mon individualité, de ma liberté. Je vis un engagement sans aliénation.

Mais les contradictions ne manquent pas de se représenter. C'était une réconciliation provisoire. Les besoins de l'ego et ceux du cœur se différencient à nouveau. S'oublier dans l'autre, tenter de nier au nom de l'amour ou du couple ses besoins propres, c'est faire le lit d'une fracture profonde qui se manifestera un jour ou l'autre. Chacun doit se mettre en face de cette double nécessité d'aller vers l'autre, et d'aller vers soi-même, de mesurer les contradictions, les incohérences qui séparent ces deux projets de vie. Ils ne sont pas inconciliables si on leur apporte de la lucidité. La difficulté est souvent du côté des valeurs morales. Par exemple, je pense : je devrais être une personne altruiste, ne pas être égoïste. Cette coloration sous-jacente qui nous vient d'une éducation chrétienne introduit une intensité négative dans la recherche d'un équilibre entre solitude et partage.

Parfois, dans le dialogue intérieur de chacun, l'être aimé devient l'ennemi. Une parole se fait blessure et, pour se défendre, on trahit l'autre pendant des heures et des journées. On laisse monter le rejet, la colère et parfois la haine. Il suffit que l'autre appelle ou apparaisse pour que toutes ces constructions délétères tombent comme un château de cartes. Il n'en reste pas moins une sorte de culpabilité honteuse et refoulée qui va miner souterrainement la relation. La blessure d'amour-propre tarit la source d'Éros et cette blessure d'amour-propre ne vient pas toujours de l'extérieur. Nous sommes aussi très habiles à nous l'appliquer par autocritique. Nous accumulons une rancune souterraine contre la personne qui a été l'occasion d'une révélation de notre noirceur.

Aimer l'autre de loin est une tension, une douleur et un plaisir. La distance peut même faire l'objet d'un culte, en tant qu'exaltation et sublimation. Il y a tout un art intérieur de cultiver l'absence de l'autre comme une présence à soi-même. Si les amoureux ne cessent de rêver, c'est qu'ils caressent la pensée de l'autre dans une intensité renouvelée.

LUI (*se parlant à lui-même*) :
Je suis seul au bord de l'océan, je m'imprègne de cette beauté, je marche sur la grève, je pense à elle, elle habite mon corps et mon désir, mon cœur est chaud d'amour, je voudrais qu'elle soit là, je voudrais que la distance ne nous sépare plus, ni nos vies, ni nos passés, ni nos histoires. Je voudrais que seul existe le merveilleux présent, la clarté de cette lumière à cette heure de la journée, la vie qui pulse en moi et le cadeau de l'amour qui court de moi à elle, de elle à moi. État d'urgence. Les projets ont-ils de l'importance ou faut-il toutes

affaires cessantes se consacrer à l'amour comme on se consa-
crerait à Dieu ?

J'aime aussi penser à elle, imaginer ce qu'elle fait, me repas-
ser le film de notre dernière rencontre, laisser resurgir une
phrase qui n'a pas fini d'exsuder son sens, une intonation
qui prolonge une caresse. Marcher et sentir bondir mon désir.

Dans la marche, c'est le paysage qui m'enlace et me délace,
dans la marche, l'haleine de dame Nature vient s'insinuer en moi
pour d'autres épousailles mystérieuses. Je me détends et je
m'apaise, j'accepte que l'absence soit présence. Je me remplis.

ELLE *(parlant intérieurement à lui) :*
Te rencontrer et me retrouver seule. Entendre ta voix et me
retrouver seule. Ce n'est pas une douleur, c'est une tension.
Comme s'il n'était pas possible que tu quittes ma pensée dès
que je me retrouve seule. Si les autres sont là, ils me dis-
traient, je tiens mon rôle, je m'amuse. Le théâtre de la vie
reprend comme avant toi et distille ses goûts, ses odeurs, ses
couleurs, ses saveurs que je déguste en bonne vivante. Mais
je ne coïncide plus, il y a comme un écran. De quel filet suis-
je prisonnière ? Pourquoi n'ai-je pas envie d'écarter le filet ?
L'appel en moi est puissant, abyssal.

Toute la vie est parsemée de rencontres et de séparations,
d'attentes et de retrouvailles. Toute la force et la beauté de
cet absolu en moi demandent à être apprivoisées pour ne pas
me détruire. J'ai besoin d'accepter le relatif. Me préparer à te
rencontrer, me préparer à te quitter. Pour ne pas sentir le
vide ou la douleur de te quitter, je peux refuser la rencontre.
La vie anesthésiée, la vie en retraitée. N'y a-t-il pas une part
de moi qui est tentée de renoncer à l'ardeur pour éviter la
douleur de la brûlure ?

Cet homme témoigne d'un dialogue intérieur où il
transforme la blessure de l'absence en plénitude.

Cette femme se tient sur un autre bord où sa sensibilité à vif s'effraie de l'intensité des sensations. Elle vit le manque dans l'absence et peut-être s'y complaît-elle en partie. « Tu me manques » est un leitmotiv des amants et il n'est pas sûr qu'il n'y ait pas du plaisir dans ce manque.

Une femme à un homme : « Tu as tant aimé cette femme. Tu as tellement souffert quand elle t'a rejetée. Tu as voulu mourir. Tu pensais qu'elle était partie avec ton âme. Ta convalescence a été longue. Pas à pas, tu t'es rééduqué. Tu te connais maintenant. Tu connais la profondeur de ton fusionnel. Tu t'es promis de ne plus jamais t'y abandonner. Tu ne permets plus à aucune femme de t'approcher au-delà d'une certaine distance. La blessure est toujours là. Les femmes qui entrent dans ta vie, ou dans ton lit, n'arrivent pas jusqu'à ton cœur parce que tu l'as enkysté. Tu continues de bercer ta blessure. Tu te laisses aimer, tu n'aimes plus. Blessé, tu es devenu blessant et très dangereux. Il y a une couronne de victimes pantelantes autour de toi. Ta distance blessée est fascinante. Les papillons de l'âme viennent se brûler à cette flamme mortelle. Tu as le regard étonné d'un enfant qui fait mouche et qui tue alors que son seul plaisir est d'entendre siffler les balles. »

Cette femme parle à cet homme de sa blessure dans l'amour et tente par sa lucidité de ne pas être sa victime.

Ceux qui ne savent pas sortir du fusionnel peuvent mourir d'amour, ceux qui ne savent pas sortir du relatif peuvent tuer par manque d'amour. Dans les deux cas, il y a une destruction de soi. Par négation de l'ego ou par exaltation de l'ego, le déséquilibre s'introduit.

Entrer et sortir. Entrer dans des temps de fusion

avec l'autre, sortir de cette fusion et retrouver avec bonheur son couple intérieur, sa fusion personnelle, androgyne. Un créateur ne souffrira pas du manque de l'autre parce qu'il a tant à faire avec lui-même. La véritable créativité est une écoute de l'âme retraduite dans l'action, une union du masculin et du féminin, une mise au service du masculin par rapport au féminin. Une vie spiritualisée s'inscrit dans cet équilibre.

Sortir de la créativité pour entrer dans l'échange, dans la communion de l'instant, dans le pur présent. L'amour et pour certains la méditation ont cette vertu. Ni dans le cerveau droit, ni dans le cerveau gauche, mais dans une forme de communication entre les deux qui est davantage de l'ordre de l'extatique, de l'écoute et du ressourcement.

La confiance dans ce mouvement d'alternance « entrer et sortir » construit l'équilibre d'un être.

Viens, va vers toi

Viens près de moi, approche-toi toujours davantage, engage-toi, fais l'apprentissage de t'ouvrir à l'amour et en même temps continue ton parcours vers toi-même. Ce paradoxe est souvent difficile à assumer.

Il n'existe pas de recette universelle. Chacun invente la bonne distance pour lui, celle qui permet l'intimité et l'isolement. Faut-il penser à deux appartements, deux chambres, deux espaces bien délimités et inviolables ? Le couple, pour rester vivant et uni, est conduit à trouver la manière dont chacun des partenaires se définira comme solitaire et solidaire. On imagine assez bien deux artistes, un peintre et un écrivain, exerçant leurs recherches et leur art dans une solitude mais se retrouvant aussi dans leur vie affective et sexuelle. Les vies professionnelles séparées permettent ce type d'équilibre à bien des couples. Mais le sentiment de liberté a besoin de rester intérieur pour alimenter la vie de l'âme. L'amour est une flamme vivante qui se transforme en chacun en lumière et cette alchimie si subtile ne saurait se codifier. Elle exige une liberté créatrice, une priorité accordée par moments à la qualité d'une relation, pour que se tisse un fil du sens en dehors des habitudes et des sécurités affectives. Chacun prend le risque pour lui et pour l'autre de s'éloigner, de se rapprocher, de regarder ailleurs, de prendre le temps et l'espace de vivre dans la solitude son masculin-féminin, d'avancer d'un amour de besoin vers un amour de plein, d'un amour de complétude vers un amour de double, d'un amour romantique vers un amour conscient.

L'amour sans possession

Peut-on renoncer à l'amour parce que l'autre ne nous aime pas autant qu'on le voudrait ou parce qu'il ne se comporte pas comme on le souhaiterait ? Peut-on renoncer à l'amour parce qu'il brûle trop ou parce que les conventions ne s'accordent pas avec lui ? L'amour nous apprend l'humilité parce qu'il demande à l'ego de se courber devant lui, d'accepter l'inacceptable.

ELLE :

Quel est ce mal étrange qui m'habite ? Quelque chose trem-
ble en moi. Qu'avions-nous creusé ensemble de si profond
que mon être le plus intime s'en trouve bousculé, ébranlé ?
Comme une insensée, dans un accès d'orgueil, j'ai proposé
l'éloignement, j'ai proposé d'être raisonnable. Nous avions
chacun de notre côté un autre amour. Nous allions faire
souffrir deux personnes par notre passion commune. Ne
valait-il pas mieux tout arrêter pendant qu'il était encore
temps ? Mais pour moi il n'était déjà plus temps peut-être.
Depuis quelques jours tu te retires doucement. Tous tes mots
viennent me blesser les uns après les autres avec une lenteur
insupportable, des heures après qu'ils ont été prononcés, ils
m'atteignent là où je saigne déjà. La blessure est en train de
me rendre humaine, humble, et je cuis. Là où j'ai détruit, je
suis détruite.

Je tente de m'accrocher à ma joie de vivre. Je tente d'en
retrouver le sens. Je pose mes yeux avec reconnaissance sur
toutes les choses belles de ma vie. Mais rien n'apaise cette
brûlure qui maintient de l'eau au bord de mes yeux. À ton
tour tu renonces à cet amour qui est venu vers nous, qui
nous a éblouis. Je crois que je peux dire « nous » parce que
les moments de communion existent. Je ne supporte pas ton
absence. J'ai envie d'hurler et ma gorge est serrée de sanglots.
C'est une lente crucifixion intérieure qui commence.

Et pourtant tu m'aimes, et pourtant rien n'est fini. L'in-
quiétude me creuse, la menace plane... Quand tu m'as appe-
lée tu continuais de me dire que tu t'éloignais. J'accepte. Je
continuais de te dire que je voulais continuer, que tout nous
attendait encore. Éternelle histoire de ceux qui semblent ne
pas dire oui en même temps. Mais je sens bien que l'amour
est plus fort que nos décisions et nos sursauts d'orgueil.
L'amour nous cherche... et nous trouve.

Aimer. Je te porte en moi et tu m'obliges. Je suis allée cher-

cher des morceaux de moi-même dans ces quelques traces que j'avais laissées sur des visages, des papiers, des murs, des paysages. Je fais confiance au feu de l'amour puisqu'il sait avec moi et sans moi. Toute vie est un dialogue passionné avec le sens. Toute vie s'efforce de transmuer le négatif en positif. Devenir une force d'affirmation solaire à chaque instant. Le Oui du Grand Midi où même les désarrois prennent sens. Je surfe sur l'apparence pour mieux fusionner avec le mouvement. J'entends le chant de la vie. Je deviens le chant de la vie, le chant de la vie résonne de place en place, de part en part. J'ai besoin de tout et de tous. Éclosion. Inclusion.

Deux êtres qui s'aiment découvrent parfois sur leurs visages une douceur nouvelle, quelque chose de lisse, une expression d'appartenance, de fusion, de dévouement. Chacun sent le pouvoir qu'a l'autre sur lui et en même temps son abandon, son abnégation, un paradoxe vivant de faiblesse et de force.

L'amour réciproque, spontanément adorant, est pétri de générosité, bien au-delà du dominant/dominé et de tout rapport de force. Chacun accomplit pour l'autre le miracle très intime d'une mise en résonance dans les temps d'amour réciproque.

Mais, au quotidien, les tonalités ne sont pas toujours accordées. L'un est dans l'amour, l'autre accaparé par autre chose et vice versa, nous ne nous aimons pas en même temps et nous commençons à souffrir, à nous blesser dans ce décalage. Les tentatives de manipulation voisinent avec des prises de pouvoir. C'est à ce moment-là que l'amour devient possessif. L'attention est réclamée comme un dû. L'attention et l'exclusivité.

Si tu aimes quelqu'un d'autre que moi, ton amour n'a pas de valeur. Si tu aimes quelqu'un d'autre que moi, tu me fais souffrir et tu me rends triste. Si tu m'aimes, tu es à moi et rien qu'à moi. Cet enfermement a quelque chose de terrifiant et se situe en désaccord avec la nécessaire liberté de l'évolution. Cette exclusivité rassurante pour mon besoin de sécurité affective est aussi une forme de besoin pour le côté volatil de mon désir et de ton désir. Comment t'aimer sans te posséder ? Comment t'aimer sans cesser d'essayer de te posséder même à mon insu pour rassurer mon inquiétude obsédante. Comment être aimée de toi sans être possédée ? Comment maintenir ma marge de liberté ?

Deux personnes qui construisent un amour peuvent-elles chacune de leur côté vivre un autre amour ? L'un des partenaires du couple peut-il sans déséquilibre vivre deux amours dans le même temps ? Cette liberté se paie-t-elle nécessairement d'une souffrance de l'un ou des deux ? Sont-ils plus vivants, plus authentiques, plus rayonnants ou au contraire affaiblis, minés, troués de contradictions, en porte-à-faux avec eux-mêmes et avec l'autre. Et que se passe-t-il pour les autres partenaires ?

Il faut bien remarquer qu'on est passé subrepticement à travers ces questions de l'amour à la relation et qu'il n'est pas juste de les confondre. Il n'est pas possible d'instituer des règles et des recettes pour la vie de couple et encore moins sur la manière d'incarner un amour.

Les relations plurielles font désordre et ne sont pas bien vues socialement. Elles paraissent souvent difficilement compatibles avec une vie de famille. Du côté de la conscience et de la vie de l'âme, les appels peuvent être très différents. L'intensité amoureuse s'accommode mal de la quotidienneté et l'approfondissement de l'amour demande une continuité dans la relation. Chacun devra inventer, créer sa manière de rester innocent, créatif et plein de fraîcheur dans la manière de rencontrer l'autre. Il y a de la douleur parfois à savoir que l'autre partage son intimité, ses émotions, ses découvertes avec un autre que soi, mais il y a aussi de la richesse dans cette démultiplication de l'intimité quand elle s'efforce d'être honnête, authentique. Là est la difficulté. Il est déjà difficile d'être honnête avec une seule personne mais avec deux... Difficile ne veut pas dire impossible.

Le premier mouvement est celui de la fermeture. Je ne veux pas partager, je ne veux pas prendre le risque de partager. Mon ego se rebelle et mon amour-propre souffre terriblement. Dans un deuxième mouvement, je m'aperçois de la frilosité de ce comportement, je m'ouvre à cette idée que cet autre que j'aime trouve du plaisir et du bonheur en dehors de moi. Je m'aperçois que je peux l'aimer pour lui et non pour moi. Je découvre que cette générosité n'est pas si inaccessible que je croyais. Je constate que l'imaginer heureux avec quelqu'un d'autre ne m'enlève rien fondamentalement. Évidemment, il ne faut peut-être pas que j'active trop fortement mon imagination. Mais ma jalousie – car il faut bien l'appeler par son nom – n'est pas intraversable. Elle appartient à mon instinct de conservation plus qu'à mon amour pour l'autre.

Aimer sans possession est un chemin de sainteté. Toute personne qui se trouve en situation de dépasser sa possessivité par le fait que l'autre entretient une autre relation ou est polarisé par un autre amour, entre dans un moment sacré. Il ne faut pas chercher quoi que ce soit et créer artificiellement ce type de situation. Mais, si vous cuisez à gros bouillons dans la marmite de la jalousie, il est impossible de faire semblant. Chacun a besoin de se mettre bien en face de ce monstre parfois dévorant qui pousse à mille folies toutes moins honorables les unes que les autres :

Je vais le tuer, la tuer, mettre du poison dans son potage, crever ses pneus, cesser de le voir, le faire payer, etc. Les comptes arrivent, mon amour n'est pas payé de retour, il me fait souffrir.

Nous nous décentrons, nous attribuons à l'autre ce pouvoir exorbitant de créer nos états intérieurs, nous entrons dans le psychisme de la victime. Nous perdons du pouvoir et plus nous en perdons, plus notre vindicte et notre haine s'exaspèrent. L'amour s'inverse, le poison s'infiltre... Bientôt, l'autre aura réellement de bonnes raison de moins nous aimer. Quand le monstre est bien repéré, il est inutile de le nourrir. C'est le moment de prendre les commandes et de décider de passer à autre chose, de convoquer l'ange en vous, celui qui veut continuer à aimer et qui n'entend pas se mettre en exil. Si vous l'appelez il viendra. Il commencera à vous souffler à l'oreille des chants si mélodieux que vous n'oublierez plus jamais que l'humanité en vous c'est aussi cette capacité à aimer de l'intérieur et non de se faire le jouet des circonstances.

Cultiver l'amour sans possession, le découvrir et le redécouvrir est l'un des moments privilégiés de l'art d'aimer.

Éros et la blessure de l'âme

LETTRE OUVERTE À UNE AMIE :

« N'oublie jamais qu'Éros bande son arc et décoche une flèche qui vient se planter dans ton cœur. Que vas-tu faire avec cette blessure, elle est ta faiblesse et ta chance d'évolution. Chaque enfant se construit à partir de sa manière d'enkyster sa blessure ou de la réactiver.

Le poids de maman, la sensibilité de maman, la douleur de maman, la culpabilité de maman. Tu as entendu ce cri, cette peur, cette solitude et ta force de vie a triomphé de cette pesanteur jour après jour, mois après mois, puisque tu as survécu. Tout enfant est comme la mutation, la force d'affirmation opposée à la désespérance latente qui habite sa mère. Tout enfant qui accepte de vivre et de grandir témoigne de la force de l'espérance. Mais il entend aussi les forces d'anéantissement qui habitent sa mère. Ses cris témoignent de sa lutte pour faire triompher la vie.

Le fil est là entre vous deux, le fil de la souffrance, le fil du sens. C'est avec elle que tu as plongé dans l'existence. Aujourd'hui, tu reviens vers elle, vers cette solitude qui a été la sienne quand elle t'a portée dans son ventre et que l'homme qu'elle aimait, celui pour lequel elle avait quitté et défié ta famille, était parti à la conquête de gloire et d'argent. Tu es née dans sa solitude que tu as rendue plus effrayante et plus occupée. Elle avait vingt ans et elle se voulait courageuse. Sa propre mère était morte quand elle avait onze ans. Dans son cœur, elle avait toujours onze ans, elle avait eu une mère de remplacement, mais sa si jolie maman était partie, disparue dans des conditions mystérieuses. La blessure était toujours là et maintenant, lui, cet homme si beau qui la faisait rêver, il était parti aussi dans un univers de fureur. Amour blessé, amour blessant du départ de l'autre. Comment faire confiance à l'amour ?

Elle était si jeune et si jolie. Une autre rencontre, une autre chaleur, un autre enfant. Comme il était beau, blond et bouclé, ton frère. Ton cœur d'enfant s'est élancé. Tu avais cinq ans. Ton frère est parti avec son père, ton père à toi est rentré. Et elle pleurait. Entre deux hommes, elle pouvait choisir mais pas entre deux enfants. Comme tu l'as détesté, ton père, comme tu l'as refusé ! Comme tu as aimé sa chaleur d'homme, comme tu l'as séduit et comme il t'a séduite ! La chaleur du sexe a remplacé la chaleur de l'amour. Prends conscience. Depuis bien longtemps dans ton histoire, la chaleur du sexe remplace la chaleur de l'amour. Pour ne pas reproduire encore et encore la même histoire, tu as besoin d'accepter ce vide qui s'est produit quand ton frère est parti. Tu as tenté de combler ce vide par des boulimies de nourriture, de vêtements, de conquêtes, ou en achetant l'amour. Loin de la source, loin de toi-même, égarée sur des rives lointaines, cherchant le sens hors de toi dans les pensées des autres, dans l'énergie des autres, dans l'autorité des autres. Toutes les formes d'autorité ont été des ennemis de l'amour, donc tes ennemis. Tu as besoin de te réconcilier avec l'autorité de ton père, avec la souffrance de ta mère pour accepter l'amour, pour faire confiance à l'amour.

La trame du sens continue de se tisser. Tout enfant porte au cœur une blessure de papa et maman, du masculin et du féminin. Tout adulte a besoin de relier ses histoires d'amour à ce fil du sens pour que cesse un combat souvent démesuré dans la quête de l'amour. Toi petite fille tu as grandi avec ce message : « Toujours l'amour sera perte et départ. » Ta mémoire affective projette sur le futur et tu ne cesses de reprogrammer la même peur, de mettre en route des contre-scénarios pour conjurer cette peur. Il est temps que tu t'abandonnes à l'amour. Accepte ta vulnérabilité, ta faiblesse, elle deviendra ta force.

255

Prends conscience, seul le présent existe et cette capacité de ton cœur à s'ouvrir, même à l'impossible. »

Nos histoires

Nous écoutons souvent passionnément les histoires des autres. Nous cherchons comment leur histoire rejoint la nôtre, comme elle l'éclaire de manière parallèle ou complémentaire. Nous ne cessons de partager une histoire élargie pour faire des liens, trouver de l'énergie et agrandir notre conscience. Nous avons besoin de nous raconter encore et encore notre histoire pour sortir de la blessure de l'âme. Et c'est en la racontant à d'autres que nous l'entendons le mieux. Les thérapeutes nous prêtent leur attention pour que nous puissions aller chercher les ressources de notre inconscient. Les amis se racontent sans fin leurs histoires, sans se lasser, se permettant ainsi mutuellement de comprendre et de dévoiler. L'échange d'histoires est au cœur de notre manière d'évoluer, d'avancer vers nous-mêmes. La qualité d'écoute de l'interlocuteur transforme la profondeur du sens. L'histoire change aussi en fonction de ce que nous souhaitons obtenir de l'interlocuteur, ou de l'idée que nous nous faisons de lui. Avec chacun, nous nous réinventons, nous vivifions notre histoire, nous la vérifions aussi.

« Il se raconte des histoires. » Cette expression familière est là pour signifier qu'on a l'impression que la personne découpe dans la réalité de sa vie les morceaux qui l'arrangent, qui la flattent, sans tenir compte de ses parties d'ombre. Et sans doute chacun est-il tenté de se rassurer ainsi, de se faire une belle histoire rétrospective et de gommer les parties désagréables. Nous sommes tentés de nous construire une image d'Épinal du bonheur, d'immobiliser notre histoire. Mais nous sommes rattrapés par une maladie, une rencontre amoureuse, un rêve, un voyage qui viennent troubler le statu quo. Notre époque bouscule tout particulièrement les histoires qui voudraient se fermer. Les unions se défont, les emplois sont supprimés, les certitudes s'effondrent. Les remises en cause sont permanentes et poussent à l'évolution. Ces événements blessants sont aussi des facteurs d'intégrité et d'authenticité. Nous sommes conduits à nous approfondir et à nous ouvrir davantage. La blessure nous conduit ainsi à toujours élargir la trame de notre histoire personnelle.

Agrandir l'âme, faire la perle de l'âme

Tout comme le spermatozoïde doit en un certain sens pénétrer et blesser l'ovule pour le féconder, l'amour blesse l'âme pour lui permettre de se révéler à elle-même. La blessure initiale s'enregistre dans le ventre de la mère, dans cette fusion-confusion du bébé avec sa mère : « Je suis toi ». Blessure initiale dans la couleur de la relation à papa et maman dans les sept premières années de la vie. Les autres blessures viennent se greffer comme en résonance, maladies, ruptures, deuils et toutes nous invitent à devenir plus vastes.

Où ai-je été blessé et par qui ? Quelle est la naissance qui m'attend à travers cette blessure ?

Faire le voyage de ses blessures, c'est repartir de la plus récente et ainsi remonter de proche en proche jusqu'à l'enfance et parfois même la conception. La toute puissance se trouve ébréchée, l'être se confronte à son impuissance, à son anéantissement, son désespoir et sa souffrance. Son histoire se referme sur lui et le tyrannise. Comment relier toutes ces blessures entre elles et leur donner un sens commun. Comment prendre de la distance, passer d'une histoire enfermante à une histoire ouverte et fécondante.

TÉMOIGNAGE :

« J'ai souffert de mon physique ; vers onze ans j'ai commencé à me trouver laide. J'étais toujours première et ma meilleure amie était la plus jolie fille de la classe, à nous deux nous formions un invincible tandem de pouvoir. À treize ans, mon mal-être physique a dû atteindre son maximum et je suis tombée gravement malade. Je me suis même fabriqué une paralysie. Pendant un an, je suis sortie de l'univers scolaire et j'ai pu rencontrer l'amour, la solidarité dans l'univers de la rééducation. L'épreuve de la laideur et du handicap a atteint son maximum puisque j'avais même un œil paralysé. Ma meilleure amie était une naine difforme avec une énorme tête et une intelligence hors du commun. J'étais amoureuse d'une jeune femme de vingt-deux ans condamnée à rester toute sa vie dans un fauteuil roulant. Avec elle je lisais des poèmes et je découvrais l'exaltation. Pour moi, tout rentra dans l'ordre au bout de quelques mois, j'avais connu le statut de malade, celui d'handicapée, je redevenais normale, je reprenais mon cursus scolaire comme si rien ne s'était passé et je retrouvais la tête de la classe.

Comment ai-je découvert l'humiliation ? À seize ans, rien ne me paraissait aussi terrible que d'être livrée à l'humiliation. La sensation d'être ridicule devant la classe pendant une interrogation ou une tache de sang sur ma robe ? Les souvenirs sont imprécis, il reste la brûlure de la honte.

Le physique, toujours le physique. Pas assez belle pour être heureuse, pour être aimée. Et puis les temps de rémission, l'amour des hommes pour moi, leur désir, leur étonnement : comment peut-on être aussi belle et ne pas le savoir ? Rien d'objectif. Le corps vécu comme une imperfection, le refus de l'incarnation, de l'entropie. La promesse de l'amour toujours reculée dans ce refus de soi. L'âme vécue comme par effraction. La recherche de l'esprit. La découverte de l'élévation. Coûte que coûte dans ce monde trouver la voie, être fidèle au sens. Trouver son père spirituel, son maître à penser, lui faire confiance et découvrir la trahison, la folie, la crucifixion, l'humiliation. À nouveau la laideur, la caricature, la perte de soi, l'expérience de l'anéantissement. Du plus profond du désarroi, la confiance en soi a resurgi, la confiance, la force, la réalisation, le rire, l'amour. »

Ainsi chaque épreuve a précédé une renaissance. Chaque épreuve procédait d'un refus du corps, d'une démission de soi. Blessure de la confiance en l'autre et en soi, blessure de la trahison, blessure sacrée.

Il y a un temps pour être blessé par l'autre, il y a un autre temps pour créer les conditions de sa blessure, de sa rupture, de son départ. Le trouble est alors volontairement accepté.

Confiance et trahison sont les deux faces de la même médaille. Ce sont les relations les plus intimes qui peuvent être les causes des peines les plus intenses. Quand les parents ne tiennent pas leurs promesses, quand l'être aimé nous délaisse ou nous quitte, quand notre enfant cultive une hostilité ou des reproches, quand un ami dévoile un secret que nous lui avions confié, nous sommes à vif et nous pouvons nous refermer. La rancune, la rancœur envahissent le champ de la conscience, deviennent obsessionnels. C'est l'esprit de vengeance et de revanche accompagné du rejet de l'autre, du déni de toute valeur. On est dans l'outrance : « Il ne vaut rien, il a fait illusion quelque temps mais j'ai toujours su que c'était un incapable, un traître. » En reniant ainsi quelqu'un qu'on a aimé, on refuse de reconnaître ses propres parties d'ombre, ses ambiguïtés. On entre dans le fameux « J'ai raison et tu as tort ». L'autre est le dépositaire de l'ombre et on garde la lumière pour soi. La généralisation intervient aussi dans l'exagération : « L'amitié n'existe pas, l'amour est toujours malheureux, la politique est pourrie, etc. » On se promet d'être plus réaliste et moins idéaliste. Cette attitude débouche sur l'autodestruction, le rétrécissement de soi.

Transformer la blessure en perle, c'est au contraire opérer une mutation. L'huître perlière dans les profondeurs marines est blessée parfois par l'arrivée d'un petit caillou dans sa chair. Elle en meurt ou elle enkyste ce corps étranger et, couche de nacre après couche de nacre, donne naissance à une perle qui est pour un humain un symbole de perfection. Tout se passe comme si l'âme humaine elle aussi avait pour mission de connaître la perfection à travers la transformation de la souffrance. Toutes les trahisons d'une vie sont l'occasion d'avancer, de s'ouvrir à une réalité plus vaste. Pour passer, il faut pouvoir accepter, lâcher prise, laisser circuler l'amour. La guérison d'un être demande l'acceptation profonde, inconditionnelle de ses parents et un afflux d'amour dans leur direction. La blessure devient une perle par la voie de l'amour.

Au moins une fois dans sa vie, il est important de se remémorer les blessures que l'on a vécues en s'efforçant de remonter aussi loin que possible dans le passé. Cette évocation ne doit pas être mentale, mais sensitive. Dans un état de relaxation la personne laisse émerger des souvenirs, des impressions, des sensations, des moments où elle s'est sentie blessée, humiliée, trahie. L'accompagnateur l'encourage à verbaliser, il pose une main d'encouragement sur son bras mais il ne se permettra pas de commentaire. Toutes les paroles, aussi bien intentionnées soient-elles, ne feront que diminuer l'intensité de l'expérience. L'accompagnateur donne une écoute profonde, il n'est ni thérapeute ni consolateur. Lorsque l'évocation est terminée, il propose d'abandonner toute rancune et de se sentir en paix avec les personnes qui se sont révélées blessantes. Il y aura des résistances, mais il est possible en une seule séance d'arriver à un état d'acceptation profonde du passé.

Ce processus de guérison est très important car il libère beaucoup d'énergie bloquée. Souvent dans la relation et dans l'amour, nous répétons encore et encore les mêmes scénarios sans nous rendre compte que nous avons installé des mécanismes de défense en réponse à une blessure initiale. Cette réponse n'est plus adaptée, pire même elle crée et remet à jour ce qu'elle voulait éviter.

La prise de conscience qui commence à s'effectuer se consolide par le récit, par la mise à distance qu'opère le récit. On commence par écrire ce qui vient d'être évoqué verbalement. Mais ensuite il faut transposer les personnages et les événements, leur donner une dimension mythique, créer un conte. Il était une fois... le conte se déroule à la troisième personne, et le personnage central qui vous représente peut être aussi bien un hérisson, qu'un chat, une fée, un lutin, un enfant exceptionnel, une fleur... Les péripéties de son histoire sont empruntées à la vôtre mais amplifiées. Vous êtes ce lutin joyeux qui gambadait dans la forêt jusqu'au jour où un géant enfonça la porte de votre cabane pour emmener votre père au pays de nulle part. Désormais, le lutin perdit son insouciance et n'eut plus qu'une idée en tête : délivrer son père. Dans la réalité, il s'agit d'un enfant dont le père est parti en prison pour dettes... Le conte a des vertus thérapeutiques exceptionnelles. Il permet de trouver le fil du sens qui relie tous ces événements épars et traumatiques d'une vie. Ce qui était subi devient en quelque sorte créé par une l'intelligence de l'inconscient et cette mise à jour redonne à l'être du pouvoir. Je ne suis plus un être malheureux, ballotté, victime, qui a perdu son temps dans la souffrance, j'ai traversé des épreuves, j'ai appris quelque chose, je suis le héros d'une aventure de conscience, je suis en train de mettre à jour ma légende personnelle.

Ce processus est au cœur du passage de l'état de victime à l'état de créateur et ce passage est la grande transformation d'une vie. Aucun drame ne sera désormais pris au sérieux de la même façon. La conviction que derrière tout problème sourit une solution donne un dynamisme complètement nouveau à la personne.

Dans l'amour, la victime recrée des situations d'abandon ou de départ et ne s'abandonne que rarement au bonheur de la confiance partagée, à l'énergie bienfaisante de l'amour. Elle cultive l'ambiguïté des sentiments, elle aime et elle n'aime pas selon les moments et en fonction des doutes qui l'habitent. Elle se passionne, elle se sent dépossédée d'elle-même, elle vit dans l'inconfort de la maladie d'amour.

La personne qui a pris contact avec sa force créatrice ressent qu'il ne lui arrivera rien qui ne soit en rapport avec le sens profond de son évolution. La souffrance a perdu de son pouvoir destructeur, elle a montré son visage formateur, elle cesse par là même d'être fascinante et maléfique. Elle devient signe de changement, elle est apprivoisée, elle fait moins peur, elle a moins besoin de se présenter.

Notre civilisation de la crucifixion a pris l'habitude de glorifier la souffrance comme force de Rédemption. Il faut savoir qu'il est possible d'évoluer dans la joie, que la joie est source aussi de noblesse et éduquer notre inconscient en ce sens.

L'histoire de Jacques

Le colloque se déroulait dans l'ordre prévisible et Jacques laissait sa pensée flotter. Certaines choses l'avaient intéressé mais il avait conscience que seules ses idées étaient concernées, rien ne l'avait touché plus en profondeur. Et soudain son œil fixa un coin de la scène et accommoda avec attention. Une jeune femme venait d'arriver et l'impression de beauté, de rayonnement qu'il reçut lui coupa le souffle. Tout lui parla, sa manière de bouger, de rire, de rejeter la tête en arrière, de la déplacer sur le côté quand elle était attentive. Que disait-elle ? Elle parlait d'amour, elle en parlait bien mais il lui semblait qu'il n'y avait que lui qui pouvait la comprendre. Le monde avait basculé dans la magie. Il sortit de la pièce comme dans un rêve. Dans le train pour rentrer chez lui, il ne cessa de lui parler intérieurement. Quand il referma la porte de son appartement il redouta de réveiller sa femme. Il n'était pas en état de parler, de raconter. Il était tard, elle devait dormir. Il se glissa dans son bureau et, tout à son exaltation, il entreprit d'écrire une longue lettre à cette jeune femme inconnue. Puis il se glissa dans le lit chaud. Quand il relut la lettre le lendemain, il la trouva très belle, une lettre érotique, sensuelle et spirituelle. Quelle femme pourrait ne pas être touchée ? Il décida sauvagement de la faire lire à sa femme ou plutôt il ne résista pas au plaisir de partager avec elle toute cette richesse. Sa femme écrivait et son avis comptait beaucoup pour lui. Elle devint blanche et puis rouge. Elle s'efforça à la magnanimité : « C'est très beau », et tout de suite après éclata en sanglots. « Tu as écrit cette lettre pour une autre femme ! »

Depuis des années, il l'adorait et il n'adorait qu'elle. Elle venait de prendre conscience que la femme intérieure de son mari n'était plus identifiée à sa seule personne. Sa jalousie n'allait pas à une relation inexistante mais à un processus subtil qui l'emmenait, lui, au-delà de sa sphère d'influence.

La lettre fut envoyée. Il n'y eut pas de réponse. Mais Jacques eut l'occasion de revoir la jeune femme et il fut bouleversé par l'intensité qui se soulevait à nouveau en lui. Il se sentait vivant, plein de désir, comme un nouvel homme, capable aussi de regarder sa propre femme avec des yeux neufs et de la désirer comme jamais. Capable de comprendre et de nommer ce réveil de sa femme intérieure, Jacques commença à accepter et à canaliser son ressentir. Auparavant il était passé par toutes les phases du doute, de la culpabilité : « C'est le démon de midi, je cherche une aventure, qu'est-ce qui m'arrive ? Je suis fou », etc. Il eut le désir d'un lointain voyage.

C'était toujours la même nostalgie qui parlait, nostalgie de soi, nostalgie d'une rencontre jamais terminée dans l'intimité de son être. Jacques avait plus de cinquante ans quand cette rencontre eut lieu. À cet âge, d'autres hommes n'ont plus cette fraîcheur, ils se sont enkystés dans les habitudes, ils ont renoncé.

Il faut reconnaître qu'il n'est pas facile d'accueillir un tel bouleversement. Cette histoire a un côté édifiant, rassurant parce que Jacques a pu vivre avec sa femme son changement. Il se trouvait que cette femme attendait aussi dans une partie d'elle-même sa rencontre avec un homme plus sensuel, plus éveillé. Pour d'autres hommes, l'histoire se serait déroulée différemment. Ils auraient noué une nouvelle relation et peut-être rompu leur couple.

L'évolution de l'anima et de l'animus n'est pas de tout repos. Tout ce qui n'a pas été vécu a besoin de l'être et l'avancée vers la sagesse prend des allures de folie au passage. Plus un être est prévenu du parcours et plus il intègre des transformations sans trop de perturbations et de souffrances. Pour chacun de nous le

visage de l'homme intérieur ou de la femme intérieure est comme un puzzle mystérieux que chaque
rencontre importante vient un peu compléter. Nous
nous projetons, facilement amoureux, mais parfois il
n'y a pas de nécessité et pas de bénéfice à engager
une histoire.

Pour Jacques, l'inconnue était une figure intérieure, l'énergie qu'elle a mise au jour chez lui se passait d'une rencontre formelle. Dans ce cas-là d'ailleurs
il n'y avait aucune réciprocité, Jacques n'était pas
pour elle une figure significative de son homme intérieur et elle ne ressentait aucune attirance érotique.

Le jeu entre l'intérieur et l'extérieur est ainsi plein
de subtilités. Plus un être est conscient et plus il
écoute la demande de son couple intérieur avant de
se précipiter dans des péripéties extérieures.

L'érotisation de l'être consiste dans le fait que nous
nous mettions le feu les uns aux autres, à la fois dans
le cœur et dans le sexe, ouvrant ainsi le chemin de
l'éveil et de la sagesse qui dorment en chacun.
Comprendre que dans l'échange ce phénomène subtil se joue à chaque instant, c'est entrer dans l'émerveillement de la vie.

Comment connaître son complémentaire intérieur ?

Le simple fait d'attirer l'attention sur l'existence subtile de ce complémentaire intérieur semble agir
comme si personne ne pouvait plus oublier cette
dimension. La première question qui se pose c'est :
comment est-il, est-elle ? Est-ce qu'elle (ou il) ressemble à la personne que j'aime en ce moment ? Y a-t-il

des différences ? Quelles sont-elles ? Quels sont les aspects positifs et les aspects négatifs de ce partenaire intérieur ? Comment puis-je participer à son évolution ? Comment puis-je aider consciemment à créer une meilleure harmonie entre mon masculin et mon féminin ?

Le complémentaire intérieur se révèle parfois au poète comme une muse ou comme une fée, un elfe, et à la femme sous les traits du chevalier ou de Dionysos. À l'occasion d'une peinture, d'un poème, d'une musique, d'une sensation, d'une odeur, une essence, une présence se manifeste et cette rencontre dégage beaucoup d'énergie, fait aimer et désirer les moments de solitude. Cette rencontre spontanée reste relativement rare et nous pouvons la provoquer par une méditation qui fait appel à l'imagination active. Les croyants ont des archétypes familiers, comme Jésus, Marie, ou Bouddha, ou Mahomet, d'autres ont rencontré un support idéal comme Béatrice pour Dante ou Philémon pour Jung. Mais pour beaucoup de personnes les images ne sont pas immédiates.

Quatre-vingts pour cent des participants ont des visualisations très significatives. L'exercice est extrêmement simple. On commence par une relaxation et une expansion de conscience. On demande de se visualiser flottant dans le grand ciel bleu et de prendre autant de place qu'on le souhaite, de s'étendre encore et encore. Ce moment de préparation est important et demande de vingt à vingt-cinq minutes.

Ensuite, on propose de visualiser un nuage dans le ciel bleu et à l'intérieur de ce nuage de laisser surgir une image, un signe du masculin intérieur de la femme et du féminin intérieur de l'homme. On insiste bien sur le fait que chacun doit accepter toutes les images qui se présentent car certains sont tentés de juger ces images, de les refuser, de les remplacer par d'autres et l'expérience perd de sa fraîcheur et de sa profondeur. Des silhouettes et des visages apparaissent, parfois des animaux, des plantes, des objets, des lumières. Il s'agit de personnes connues et déjà aimées, mais aussi de personnages surprenants, enfants, guerriers, vieillards, vedettes de cinéma. Certaines personnes commencent à apercevoir une silhouette de dos puis parviennent au visage. Les vêtements évoquent différentes périodes de l'histoire. L'expression du visage sera aimante, lointaine, ou parfois inamicale, effrayante.

On propose de demander s'il y a un message de la part de cette partie si souvent ignorée et réduite au silence. Certaines personnes ont l'impression que ce personnage est comme un guide dans leur vie, c'est généralement parce que leur complémentaire incarne de la sagesse. D'autres sont plus auditives et tactiles que visuelles, elles entendront des mots, des musiques, sans voir d'images, ou elles auront envie de danser et de toucher pour contacter cet aspect. Chacun semble avoir un sens intérieur dominant et en partant de ce sens on s'aperçoit qu'on éveille les autres.

Cette exploration sera d'autant plus confiante que chacun prend conscience que ce complémentaire intérieur désire entrer en relation, se manifeste sous la forme du Bien-Aimé, est une présence réconfortante.

À la fin de l'exercice, on invite les participants à s'unir subtilement à cette dimension. On met une musique évocatrice d'union et d'élévation, et certains témoignent d'une émotion intense, parfois même de sensations physiques et psychiques. Toute notre capacité créatrice est en relation avec notre manière de voyager dans le royaume subtil de l'imaginaire. Il y a bien des choses à découvrir dans ce domaine. Nous avons trop tendance à poser un jugement dévalorisant sur l'imaginaire et à le qualifier de rêverie. Dans la connaissance de soi et dans la réalisation de soi, l'accès au monde des rêves et de l'imaginaire est fondamental.

La relation au complémentaire intérieur aspire à devenir une relation au Bien-Aimé et cette relation tend à la permanence. On crée un espace chez soi pour se remémorer sa présence et se proposer un court salut rituel le matin au réveil. Tout comme nous portons sur nous la photo des êtres qui nous sont chers, nous pouvons porter sur nous un symbole du Bien-Aimé. Nous pouvons associer cette présence à nos joies, et à nos difficultés, lui demander aide et conseil. Fermer les yeux, entrer dans un état plus profond, et tenter de ressentir quelle est cette relation, à quel sens de l'existence elle renvoie. Quoi qu'il en soit, il semble important d'instaurer un dialogue entre le moi ordinaire et le moi archétypal, entre la surface, la profondeur et l'ultime.

Comment s'ancrer dans la vie spirituelle ? Par une pratique, quelle qu'elle soit, à la fois physique, mentale et spirituelle.

Couple intérieur et extérieur

Quand un homme et une femme ont leurs parties féminines et masculines qui ne se combattent plus mais qui sont alliées, la vie est placée sous le signe de l'inspiration, de la créativité constante. Le pétillement apparaît. La capacité de travail aussi.

Rûmî, qui fut un grand poète soufi du XIIIᵉ siècle, et qui est vénéré comme un maître en Turquie, incarne une figure phare de cet état de permanence dans l'amour. Jusqu'à quarante ans il fut un professeur orthodoxe de la religion musulmane. Un homme, un derviche errant, surgit un jour dans sa vie et jeta tous ses livres en lui proposant de n'enseigner désormais que ce qu'il était capable de vivre. Rûmî le regarda et ce fut la révélation : « Le Dieu que j'ai adoré jusqu'ici m'apparaît en ce jour sous les traits d'un homme. »

Car pour Rûmî l'être complémentaire fut un homme et non une femme mais il était la terre et son ami Shams le soleil. Ils trouvaient dans leur liberté réciproque un reflet de la divinité, en présence l'un de l'autre ils vivaient l'unité de l'amour. Seul celui qui a approché de cette sensation délicieuse peut comprendre. Ils étaient l'un pour l'autre l'Aimant et l'Aimé, une planète l'un pour l'autre, selon leurs propres termes. Ils partageaient ensemble l'extase de vivre et pouvaient rester des heures à s'absorber dans la contemplation l'un de l'autre. On raconte qu'ils restèrent ainsi cent un jours dans un état d'union mystique. Ce phénomène déclencha une extrême jalousie de la part des élèves de Rûmî qui se sentaient délaissés. Un amour réciproque emmène deux personnes dans la félicité, mais toutes les forces de destruction se déchaînent aussi autour d'un tel amour. Il n'y a souvent guère que les adolescents qui approchent de cet absolu de l'amour et parfois les parents déclenchent des comportements inconscients de frustration et de négation. L'amour fait peur, l'amour est une illusion, l'amour est une maladie, l'amour est impossible. De là sans doute le proverbe : « Pour vivre heureux, vivons cachés ».

Se sentant peut-être menacé, Shams partit et la douleur de Rûmî nous est connue car elle fut si intense qu'il ne put la supporter qu'en la mettant en vers. La poésie, la musique furent ses remèdes à l'absence et à la nostalgie. Renvoyé à son couple intérieur, il devenait inspiré. Il écrivit à Shams des centaines de lettres ; puis, un jour, il le sut de retour à Damas, il lui expédia son fils et ceux qui furent témoins de leurs retrouvailles dirent qu'ils ne purent s'arracher l'un à l'autre pendant des heures. Rûmî se dit brûlé par l'intensité de cet amour mystique de deux âmes. « L'effet peut se résumer en quelques mots : "j'ai été brûlé, brûlé, brûlé." »

La présence était brûlure, l'absence va l'être aussi. Deux êtres découvrent en l'autre la totalité, deux êtres se procurent l'un à l'autre une sensation de présence, d'instant éternel. Ils s'absorbent dans une totale ferveur, ils ne se quittent plus et la jalousie des disciples ne connaît plus de bornes. Un guet-apens est organisé et Shams est assassiné. On tente de faire croire à Rûmî qu'il est parti mais il prend le deuil. Pendant ce deuil, il tourne sur lui-même autour d'une colonne de son jardin et on dit que la danse des derviches a été créée à cette époque-là. Cette danse vise à une dissociation du corps et du mental et à une entrée dans l'extase.

Dans l'histoire de Rûmî nous pouvons situer que le retour sur soi, l'intériorisation correspond à l'arrivée de la souffrance. Ce qu'il y a en nous d'humain tend au miracle de l'échange, à l'élan du cœur partagé. C'est un mouvement d'ascèse qui ramène à la vie intérieure. L'expérience particulière, personnalisée de l'amour humain et divin à travers un être permet un mouvement de dépassement. La douleur de l'absence se transmute, l'état intérieur d'amour se recrée de manière plus vaste dans l'intériorisation. Le feu brûlant de la communion mystique, de l'union avec toutes choses propulse Rûmî dans des conduites qui peuvent être jugées insensées. Il adresse la parole à n'importe qui et se prosterne devant tous. Il voit son Bien-Aimé en toutes choses et jusque dans le goût sucré des pâtisseries. Se réjouir de toutes choses devient un comportement constant. Il crée un enseignement fait de poésie et de musique, pour provoquer chez ses élèves, hommes et femmes (car maintenant il prend même des femmes comme élèves) des états intérieurs qui puissent les conduire à la voie du Bien-Aimé.

Rûmî continue d'approfondir et de transmettre les états intérieurs mais pose aussi cet amour sur de nouveaux compagnons. Tout d'abord Salahddin, un orfèvre illettré d'une grande douceur, avec qui il vit une relation sereine. Puis à la mort de celui-ci, Hosamoddin, l'un de ses élèves, qui l'engage à transcrire l'ensemble de son œuvre sous forme de vers, d'histoires, de paraboles. Il parachève ainsi son œuvre de maître et de guide. Il a vécu une montée dans l'amour, dans l'expérience directe, et il a redonné ce feu sous forme de lumière par un enseignement inspiré.

J'ai écrit l'histoire des amants jour et nuit. Mais voici,
je suis moi-même devenu une histoire dans mon amour pour toi.

et encore :

Mon âme se déverse dans la tienne et s'y unit.
Elle m'est chère, cette âme pour avoir absorbé ton parfum.
Chaque goutte de sang que je verse dit à la terre :
Je m'unis à mon bien-aimé lorsque j'ai part à l'amour.

Les noces intérieures ou le voyage de l'extase dispensent-ils des noces extérieures ? Si la rencontre avec l'autre est l'occasion consciente et inconsciente de compléter le puzzle du visage de l'homme intérieur ou de la femme intérieure, il faut bien entendre en même temps que le moment d'amour est à lui seul sa réponse. La complétude poursuit son but dans le temps, mais l'amour abolit le temps. Il est la seule force qui permet à l'être de rentrer instantanément dans la plénitude. Il n'y a plus besoin d'explication ou de plan d'avenir, il n'y a que la force d'un instant empli de toute la réalité.

Du couple extérieur au couple intérieur, et du couple intérieur au couple extérieur, on l'a vu avec l'histoire de Rûmî, les deux mouvements ne cessent de se répondre et de s'alimenter l'un l'autre. L'amour personnel pour l'aimé, dans sa présence d'âme et de corps, semble user son côté passionnel pour entrer progressivement dans un amour plus vaste, plus détaché, plus relié à l'évolution de l'un par l'autre. La communion se déplace dans la transparence d'une élévation. L'infusion de l'un dans l'autre n'a pas la couleur de l'attachement.

Une mutation progressive

Dans le couple intérieur il est important de se poser la question : qui domine qui ? Pendant tout un temps de développement le couple intérieur est souvent en lutte à l'instar du couple extérieur. Les phases qui ont été décrites dans *La Sainte Folie du couple* se retrouvent : la fusion, la domination du masculin sur le féminin, la révolte du féminin, la tyrannie du masculin, le conflit latent et ouvert, les tentatives de compréhension et d'apaisement dans la mise en œuvre d'une attitude éclairée, le féminin qui domine le masculin, puis le dépassement du dominant-dominé, la découverte du plaisir de la co-création, à nouveau l'union, la fusion mais à un autre niveau que la fusion du début, et ainsi de cercle en cercle se déroule la spirale de l'évolution et ainsi nous usons notre violence et nous nous ouvrons à la confiance et à l'amour.

Sur le plan intérieur, nous jouons le même jeu entre notre masculin et notre féminin. Pour une femme comme pour un homme la domination du masculin se traduit par sa manière de travailler beaucoup au détriment de son repos, de son plaisir. Par contre, la domination du féminin amène une grande passivité, une forme d'impuissance dans la réalisation active. Le conflit se manifeste par une crise, un mécontentement, une fatigue, un abattement, une dépression, une somatisation. Le stade éclairé conduit à lire, à se raconter, à s'expliquer, à écouter des conférences sur les démêlés psychologiques. Lorsque le masculin et le féminin collaborent sans s'asservir, la vie devient riche, passionnante, équilibrée. Rien n'est fixe. La spirale continue de tourner et les différents stades se représentent mais ils sont plus aisés à franchir parce qu'on connaît la carte du parcours.

La féminisation de l'être

De manière paradoxale, nous sommes conduits à envisager cette collaboration du féminin et du masculin dans une certaine forme d'égalité et de complémentarité et, en même temps, la spiritualisation croissante se traduit par une féminisation de l'être qu'on soit homme ou femme. De quoi s'agit-il ? La vie spirituelle est pourtant aussi érection et virilité, parfois même combat. Il y a des guerriers de la connaissance et des guerriers pacifiques. Mais le retournement de l'être qui correspond à la sortie du dominant/dominé amène un changement de valeurs. Les valeurs masculines de l'existence s'expriment en termes de conquête, les valeurs féminines en termes d'entraide et d'échange. Il vient un temps où le plaisir de la conquête est moins grand que le plaisir de l'échange. Rappelons-nous que nous ne changeons jamais que dans la mesure où nous avons découvert un autre plaisir que celui que nous quittons. Que nous soyons un homme ou une femme, nous sommes amenés à incarner une autre vie, à changer de métier, de projets, à consacrer notre temps à une activité reliée à la transformation intérieure ou à la préservation de l'environnement ou à la communication, etc. Le sens éthique de l'activité devient indispensable. Toute forme de prêtrise ou d'enseignement ou de consécration à un idéal devient une féminisation de l'être.

Le corps d'amour

L'amour est vécu dans le sexe, dans le cœur, dans l'esprit, trois dimensions qui peuvent être séparées, coupées l'une de l'autre, ou qui trouvent leur canal de réunification, selon le stade d'évolution de l'être. L'amour est vécu dans le corps et tout se passe comme s'il imprégnait toujours plus profondément chaque cellule. Cette dimension est toujours déjà là puisque la vie commence dans la fusion, l'unité subtile et formelle dans le ventre de la mère. Elle s'agrandit, s'élargit, s'épanouit, devient toujours plus consciente et d'intermittente tente de devenir permanente. Elle est l'aspiration la plus ultime, le soupir le plus constant, une nostalgie intime, mais nous sommes souvent tentés de l'écraser, de l'annihiler, de la nier par notre engloutissement. C'est trop difficile et ça fait trop mal, me disait un ami qui avait conscience de n'entrouvrir son cœur que par moments exceptionnels. Oui, l'amour brûle mais nous avons la chance aujourd'hui de pouvoir regarder le parcours, la chance d'accéder collectivement à ce stade éclairé où l'intelligence prend le relais de notre défaillance et commence à redresser la barre. C'est bien la suprématie du cerveau gauche de la raison qui nous a conduits dans l'impasse du dominant/dominé mais c'est elle aussi qui tente de sortir du piège. L'amour brûle, mais dans le mouvement d'acceptation de la brûlure se trouve la rédemption de la lumière. Accepter de s'ouvrir au risque de cette turbulence, c'est se donner la chance de connaître des états d'union intérieur en méditation et dans la vie. Nous sommes unis dans le cœur, mais nous sommes aussi unis plus haut, dans une cathédrale de transparence où des fils de lumière unissent les consciences.

Dans une vie, quand l'amour a commencé à s'intégrer, nous devenons aussi des médiateurs pour l'amour. Nous posons sur l'autre le regard de l'amour qui lui donne le pouvoir de devenir ce qu'il est. **Nous acceptons d'être des accoucheurs, des éveilleurs, des transmetteurs de la grâce de vivre, des célébrants et des explorateurs de la cité intime du cœur.**

Une voie pour l'avenir

Le soleil correspond à Dieu, la plus haute partie de son insondable élévation répond au suprême abaissement dans la profondeur de l'humilité.

L'amour romantique et l'amour conscient

L'intérêt que nous portons à tout ce qui touche à l'amour entre un homme et une femme est si profond, si passionné parfois que nous pouvons nous interroger sur ce qu'il met en jeu dans l'être. Le mystère de l'attraction des deux sexes l'un pour l'autre, la différence physique et psychique du masculin et du féminin, la tentative d'alliance entre l'homme et la femme, l'enjeu de la complémentarité androgyne, il y a tout cela dans l'amour, et plus encore. La conscience vaste en nous, la capacité de s'élever du particulier à l'universel, la capacité de s'ouvrir à plus que soi-même dans une ligne continue entre Éros et Agapè représente une porte fondamentale dans l'éclosion spirituelle.

Ne sous-estimons pas la difficulté. Depuis des siècles, Éros s'inscrit dans une ligne sauvage, ravageuse, passionnée, destructrice. Nos récits amoureux les plus légendaires comme ceux de Tristan et Iseult ou Guenièvre et Lancelot racontent des passions malheureuses et impossibles comme si nous aimions surtout la

brûlure, comme si nous nous sentions tout particulièrement exister à travers la brûlure. L'amour réciproque malheureux semble inscrit au cœur même de la
pensée occidentale. L'amour est synonyme d'obstacle
et la passion des corps est la source du malheur.

Nous héritons d'une conception romantique de
l'amour liée à l'exaltation de la rencontre, à l'emprise
de la passion, à l'illusion de la projection et la
demande fusionnelle est si forte parfois, si mystique
qu'elle se révèle vite invivable. D'autant plus qu'elle
cache inconsciemment une forte composante narcissique, chacun aime l'autre à partir de soi, de ses besoins
et la déception sera vive de découvrir que l'autre ne
correspond pas à ses attentes.

Il y a une grande beauté dans la force et la sauvagerie du désir, un grand élan de fusion et d'unité qui
traverse l'autre pour rejoindre la totalité. Éros est
désir total mais il est fragile. Rappelons-nous la belle
histoire de Psyché. Lorsque Psyché sort de l'inconscience amoureuse où elle vivait avec Éros, elle prend
une lampe dans une main et un couteau dans l'autre.
Ne sommes-nous pas tous chaque jour sur le chemin
avec cette lampe et ce couteau ?

Lorsque Psyché regarde Éros endormi, quelques
gouttes d'huile tombent sur ses ailes et, blessé, il s'en-
fuit dans l'Olympe hors d'atteinte de cette humanité.
Psyché devra alors affronter seule les épreuves du chemin avant de retrouver Éros dans le royaume éternel
de l'Olympe. Éros ne l'aidera qu'au dernier moment
lorsque Psyché abandonnera tout espoir de triompher
de la dernière épreuve.

De même, le parcours humain a besoin d'être
relayé par une autre sagesse. Éros, c'est aussi la jonction sexe-tête, le sexe cosmique, l'énergie directe qui

ne passe pas par l'affectif. Cette intelligence instinctive a ses limites. Elle est de l'ordre de l'instant. Elle ne fonde pas le lien. Elle n'introduit pas un ordre social.

Avec le Christ s'introduit l'idée d'une reconnaissance du prochain, d'une communion avec l'autre et avec Dieu. Avec le couple patriarcal, le lien du cœur a l'occasion de naître entre l'homme et la femme, même s'il s'établit sur fond de coercition et de guerre des sexes. Bien des épreuves seront à traverser collectivement et individuellement pour que la fleur d'amour s'épanouisse. Mais, désormais, le sexe devrait parler au cœur et inversement. Et la sanctification du mariage chrétien conforte la possibilité d'un lien entre le cœur et l'esprit.

Mais une coupure entre le sexe et le cœur s'instaure, une coupure venue principalement des dogmes de la prêtrise et qui colore puissamment toutes les valeurs. Le sexe est mauvais, diabolique, il a partie liée avec le diable et la femme. Il faut s'en méfier et s'y adonner le moins possible.

C'est ce qui conduira peut-être à une sorte de réintroduction clandestine d'Éros et de la passion dans une élite qui souffre de cette coupure du mariage chrétien. Et, au XIIe siècle, apparaît la poésie des troubadours avec son exaltation de la femme, de la distance amoureuse, de l'âme. L'amour se veut chaste et brûlant comme un amour d'adolescent. Denis de Rougemont voit dans la passion vulgarisée aujourd'hui par les romans et les films un prolongement de l'influence spirituelle des troubadours. Mais il ajoute que nous avons perdu la clef qui permettait de relier cet élan au divin. Il s'insurge contre ce culte de la distance, de l'absence et du malheur qui est pour lui l'essence même du romantisme. Certaines phrases de Novalis sembleraient lui donner raison : « Lorsqu'on fuit la douleur, c'est qu'on ne veut plus aimer. Celui qui aime devra ressentir éternellement le vide qui l'environne et garder sa blessure ouverte. Que Dieu me conserve cette douleur qui m'est indiciblement chère. »

Dans quelle mesure notre manière d'aborder individuellement l'amour est-elle influencée par cette conception ? Platon déjà faisait dire à Ménandre que l'amour était une maladie ; une frénésie, rétorquait Plutarque. Nos chansons serinent : « maladie d'amour », « il n'y a pas d'amour heureux, » « je ne peux pas vivre sans toi »... Et même si nous rions un peu, ces phrases ont un écho en nous. C'est un signe de sensibilité et de profondeur que de se laisser aller à la nostalgie de l'autre : « Un seul être vous manque et tout est dépeuplé » (V. Hugo). Amour de besoin et de manque.

Nous n'aurions pas trouvé d'autre manière de conjoindre Éros et Agapè, le sexe et le cœur, qu'en infiltrant Agapè d'un désir de mort, d'un malheur lié à la chair, d'une impossibilité à vivre l'amour humain. Agapè représente Psyché, l'âme féminine de l'existence, et toute la sagesse à l'horizontale déployée dans l'espace pour trier les graines du bon grain et de l'ivraie, pour découvrir ses forces masculines et féminines, pour s'en remettre aux forces de l'univers, pour aller chercher en soi son essence, pour accepter ses limites. Toute une acceptation de l'autre tel qu'il est, et du monde tel qu'il est, toute une présence de plénitude à l'instant.

Agapè, l'immensité de la compassion, de la communion, du partage, la branche horizontale de la croix du bonheur, illuminée par la grâce venue d'en haut. Et, sur l'axe vertical, Éros, l'énergie vivante, puissante du désir érigé vers l'inaccessible lumière, le feu brûlant qui demande sa transformation en lumière.

La rencontre se fait au milieu dans le cœur divin : « Rien ne le pousse vers le haut et rien ne l'attire vers le bas parce qu'il se tient au centre de son humilité » (saint Jean de la Croix).

L'amour conscient s'enracine au centre de la croix. Il nous enseigne comment aimer à partir du plein de l'être.

Un nouvel art d'aimer

Dans nos couples et dans nos histoires, collectivement et individuellement nous cherchons à conjoindre Éros et Agapè, souvent sans en être conscients. En d'autres termes, nous cherchons comment la chair a partie liée avec l'âme et l'esprit. Nous ne voulons pas devenir des prisonniers, des victimes de la chair, mais nous ne voulons pas non plus l'ignorer ou nous détourner d'elle au nom des profondeurs et des subtilités du monde spirituel. La chair peut-elle se spiritualiser ou bien est-elle spirituelle dans son essence même ? Le tantrisme donne un cadre de réponse, un support de pensée et d'expérience mais cette conception orientale pour devenir une pratique a besoin d'être repensée de l'intérieur. Et rien ne remplacera jamais pour personne les sensations vivantes d'une expérience directe qui se donne le droit de se penser et de se dire.

Un homme et une femme se rencontrent, vivent

une affinité, un désir. Déjà c'est une chance. S'il y a beaucoup de désir et si leurs vies ne sont pas trop encombrées d'ambition, il se glisse une révélation dans leur rencontre, une communion. La chair se fait soleil. Les sensations du sexe transportent une totalité d'âme et d'esprit si la personne polarise une grande présence dans la rencontre.

Nous sommes là dans une forme de pensée révolutionnaire qui sort du cadre d'une pensée patriarcale, hiérarchisée. En effet nous pensons toujours en termes d'inférieur et de supérieur. L'inférieur se trouve en bas dans le sexe et la terre tandis que le supérieur se situe dans le ciel et dans l'esprit et entre les deux se trouve la médiation du cœur. Cette manière de parler n'est pas fausse mais elle n'est pas juste non plus. Elle est parcellaire et elle se donne souvent comme l'entier de la vérité. La seule question qui se pose est celle-ci : quelles sont les conditions qui permettent de concentrer le maximum d'énergie de présence avec soi-même et avec un autre ? Il y a la sexualité mais aussi la danse, le combat, la méditation à deux ou à plusieurs. Quelles sont les circonstances qui permettent de s'unifier, de s'élever à deux ou à plusieurs, de faire une cathédrale d'énergie, de se transformer, de muter, de vivre une cérémonie dans l'énergie, de communier ?

Le centre de la croix ne se vit pas seulement au cœur comme on le croit traditionnellement. Le centre de la croix se situe aussi dans le sexe ou sur toute autre place du corps où l'attention pourrait avoir l'occasion de se focaliser. Le sexe occupe une place privilégiée quand il devient désirant, aimant et cosmique, quand il attire la totalité de l'être dans sa présence à l'instant.

Un homme et une femme qui se désirent ne sont pas vraiment dans l'amour et pourtant ils y sont déjà parce qu'ils ont l'occasion d'être intensément vivants, de mobiliser toutes leurs forces disponibles intérieurement dans une seule direction. Quand une action, un but soulèvent en nous assez d'enthousiasme, nous pouvons nous rassembler et dégager une forte densité de présence. Toute nouvelle rencontre porte en elle un fort potentiel énergétique.

Un homme et une femme qui font l'amour pour la première fois ont ainsi parfois sur eux et entre eux comme une odeur de sainteté et la chair révèle soudainement son caractère sacré. Deux personnes accordées dans tous les aspects d'elles-mêmes, à ce qu'elles font découvrent que le désir qu'elles ont l'une de l'autre les emmène dans le sentiment d'être exactement là où elles ont à être, que tout en elles comprend et participe. Un ruissellement d'énergie les parcourt et circule de l'une à l'autre. La magie de l'amour et du désir est à l'œuvre comme processus de conscience unifiante et guérisseuse. La magie de la communion a opéré sur ces personnes son action transformatrice et alchimique. Elles ne seront plus jamais les mêmes. Elles ont vécu un saut qualitatif dans l'évolution. Il est possible que ce vécu soit transitoire, qu'elles ne sachent pas ensemble ou individuellement reproduire cette beauté mais elles n'oublieront pas et leur vie en portera les traces.

Deux personnes qui s'aiment, se boivent des yeux, ne se rassasient pas facilement de la présence l'une de l'autre. Tout se passe comme si chacun tentait de capter en l'autre quelque chose d'essentiel qui ne cesse en même temps de s'approcher et de se dérober, comme s'il s'agissait d'imprimer l'autre en soi.

Cette intensité a quelque chose de douloureux et d'épuisant et chacun s'efforce de se ressourcer en devenant plus léger, en parlant de choses et d'autres, en marchant, en riant. Et pourtant, en arrière-fond, cette musique tendue des âmes qui se cherchent continue.

L'engagement des corps facilite cette découverte d'une intensité de présence subtile qui s'échange constamment. Une exaltation sous-jacente nourrit le sentiment amoureux. L'autre est un gouffre qui appelle et qu'on sait d'avance ne pas pouvoir explorer ni combler entièrement. Ressentir ainsi quelqu'un est une source de grande ivresse et ce ressentir est aussi bien physique que psychique et spirituel. L'appel de l'autre, c'est l'appel de son corps et de son âme, du mystère qui l'habite et qui vient résonner avec le nôtre. L'étonnement est au rendez-vous de cet état d'esprit parce que la rencontre est toujours inattendue, vivante au point de déborder de toutes parts ce que l'imagination nous représente et nous promet.

Deux présences font reculer les limites habituelles de la communication et frôlent la frontière de la communion. Il ne s'agit plus d'apporter des raffinements sensuels à la rencontre, de faire durer l'acte sexuel deux ou trois heures. Quelques minutes ou une journée ne font pas de différence. Deux personnes vivent une qualité de présence qui laisse une trace ineffaçable. Cette subtilité d'échange, même si elle n'a eu lieu qu'une fois, ne s'oublie pas et apporte une paix fondamentale dans l'être. Le mystère est là frôlé, effleuré, pas défloré. La distance se réduit entre le vaste et soi, entre quelque chose de supérieur et soi. Les baisers, les caresses deviennent comme une nécessité impérieuse, un ballet mis en scène par l'invisible et approuvé par les anges. L'union si intime des chairs donne une sensation d'absolu et on pourrait parfois se demander si une créature humaine peut attendre davantage de la vie. À ce moment, **la spiritualité se confond avec un état du corps, elle est le corps.**

La promesse de l'amour est de nous arracher à notre individualité souffrante et de nous fondre à un autre corps, à un autre être dans une sensation d'unité. Le bien-aimé ou la bien-aimée devient toute l'existence, la forme de l'étreinte tant désirée.

L'adoration

Ensuite, il faudra vivre avec cette marque intense, avec cette illumination brève du sens de l'amour. Dans cette union physique, l'âme a trouvé l'occasion de s'exalter, de s'envoler, de se manifester. À condition d'y porter attention, l'être porte en lui la révélation nouvelle des pouvoirs de cette âme, de sa palpitation incessante à s'unir. La distance reprend ses droits. Personne ne vit la fusion physique perpétuellement. Est-ce que la distance va aussi agir sur l'âme ou ne peut-elle agir que sur le physique ?

La petite fille qui se cache en toute femme lorsqu'elle touche cette frontière ressent et parfois exprime combien elle souhaiterait se nicher à l'intérieur du ventre de l'homme qu'elle aime. Je voudrais être ton enfant kangourou ou ton bébé pas encore né. L'homme devient dans cette image comme la mère de cette nouvelle femme qui naît à elle-même dans son amour pour l'homme, dans son abandon fait de toute faiblesse et de toute-puissance.

La grande fille pourtant a d'autres ressources. Porter attention à la distance au moment même de la séparation, continuer à sentir l'autre en soi au fur et à mesure que la distance physique se creuse, continuer à le toucher de plus loin, faire que le lien se détende sans se rompre.

L'autre ne disparaît pas, il ne cesse pas d'être. Ma pensée l'atteint, le rejoint d'une manière ou d'une autre. Est-ce que je vais demander plus ? Est-ce que mon corps peut se transporter là où est l'autre ? Est-ce que les pouvoirs de mon âme me permettent d'incarner mon désir de rejoindre sa présence physique quelle que soit la distance ? Est-ce que mon corps subtil peut se manifester à son corps physique ? Jusqu'où l'amour recule-t-il les limites ? Pouvons-nous nous aimer en corps subtil ?

En rêve parfois, nous sommes pénétrés dans toutes nos cellules par l'être aimé et ce rêve nous laisse au réveil un goût d'émerveillement. Nous les humains, avons-nous des possibles non explorés dans ce domaine ? La finalité de l'amour est-elle de créer cette sensation à deux d'une infinie subtilité ou encore de se permettre individuellement une sortie cosmique ?

Ou ni l'un ni l'autre parce que l'amour se suffit à lui-même dans l'instant où il se manifeste. Aimer s'apprend cependant et il devient un art dans la mesure où l'homme et la femme font l'un et l'autre appel à leur composante virile pour entrer dans l'adoration.

Le mot adorer implique l'idée de divinité, de perception du sacré, de l'infini, de quelque chose hors du monde. Pour un être amoureux, il s'opère une cristallisation de l'image aimée, un état second, parfois conscient et parfois subconscient, qui continue en dessous des perceptions ordinaires de la vie courante et qui affleure par moments à la conscience. Cette personne aimée joue dans la vie intérieure le rôle de la lumière dans la vie extérieure. Elle permet de voir le monde d'une certaine façon. L'amoureux à travers l'être aimé atteint à un certain état supérieur de lui-même. Il projette le meilleur de lui-même. L'amoureux jouit de sa propre essence à travers le culte qu'il croit rendre à l'être aimé.

Mais plus la relation s'inscrit dans le temps, plus le sentiment de chérir l'autre pour lui-même et non plus pour soi se développe aussi. L'élan d'adoration et de désir mêlés s'humanise, s'intériorise, s'adoucit pour laisser parler davantage le plan du cœur. On n'aime plus « parce que » mais « bien que ». L'amour n'est plus aveugle, il devient lucide mais en même temps inconditionnel. Il s'ouvre à l'acceptation de l'autre tel qu'il est. L'exaltation admirative est remplacée par une immense douceur-tendresse, le plaisir de porter l'autre en soi non comme une image idéalisée mais comme une réalité qui ne cessera jamais d'émerveiller. L'autre devient une personne à part entière avec un mystère qui fonctionne en écho à son propre mystère. La projection amoureuse se transforme ainsi progressivement en image introjectée comme un médaillon pieusement entretenu par un culte au cœur de soi.

Combien d'êtres laissons-nous ainsi entrer en nous pour les caresser intérieurement ? Très peu dans la majorité des cas. Une voie existe dans cette direction. C'est par l'amour particulier qu'on accède à l'universel. C'est par l'amour universel ouvert déjà sur un être particulier qu'on s'ouvre ensuite à l'amour universel de tout ce qui existe et à des comportements de plus en plus éthiques.

L'amour adorant s'approfondit en couches successives par une intériorisation. Il devient pour un être, non pas source de manque, tension, demande à jamais insatisfaite, mais source de force et de rayonnement. Celui qui aime ainsi n'attend rien, il n'a pas de doute, il est comblé par son mouvement même et il a envie de remercier l'autre d'exister, de lui avoir fait découvrir une telle source. Je suis amour.

Certaines âmes mystiques ont cherché ce visage du bien-aimé ou de la bien-aimée dans des figures idéales. Mais un amour humain contient aussi tout ce possible par une grâce de la rencontre ou par une attention délibérée. Pour ne pas souffrir de l'éloignement, de la distance, de la fin de la fusion, l'amoureux, on l'a déjà vu, cultive la présence de l'autre en lui, rend conscient et volontaire cet état second de l'état amoureux inconscient.

L'amour adorant consent à cette infinie confiance en l'autre par une sagesse qui sait déjà que rien ne dépend plus du comportement, de l'engagement, de la fidélité.

J'ai reconnu ton essence, je la chéris, et quoi que devienne notre relation, je continuerai par instants à t'évoquer, à te parler, à te prendre à témoin, à me réjouir de notre rencontre, à me souvenir de ce que tu m'as révélé de moi-même et de toi.

L'amour adorant conscient ne vient pas tout de suite dans une relation. Toute relation est fondée au début sur une forme d'illusion. Avec le temps, la gratitude et le respect pour toute la joie que nous donne l'autre dans la relation, ou pour le simple fait qu'elle dure, nourrissent une grandeur invisible, tissent du divin entre deux personnes. Une attention vigilante à ce tissage introduira éventuellement la dimension d'adoration. Plus on est présent, plus on ressent la douceur d'amour dans l'intimité.

En chaque être, homme ou femme, c'est le principe masculin, viril qui a besoin d'adorer le féminin, de le rencontrer, de lui permettre d'exister sans l'écraser et l'asservir. Pour une femme, cette rencontre se fait à travers son propre corps lorsqu'elle s'abandonne à son instinct et qu'elle sort de toute pensée. Elle touche à sa plénitude essentielle et si possible elle ne la quitte plus. C'est parfois la propre féminité d'un homme pendant l'acte d'amour qui lui permettra de se rencontrer ainsi.

Tout homme a besoin de découvrir dans sa compagne la Femme et de favoriser par son attitude son éclosion ; il favorise ainsi sa propre rencontre avec le principe féminin. Favoriser ne veut pas dire faire ceci ou cela, mais plutôt être là pleinement, attentif, présent, aimant, sans jugement. Tout homme a besoin d'essayer de capter l'invisible dans sa femme. Et toute femme peut aider l'homme consciemment à trouver cet invisible en elle.

Les hommes et les femmes sont féminins et le masculin cherche à adorer ce féminin pour que l'être devienne vivant. Quand le féminin s'ouvre, le masculin est guidé. Le masculin suit cette ouverture quand il est capable de diriger. Tant que le masculin a peur d'être dominé par le féminin, il n'ose pas se laisser inspirer, enseigner par le féminin. Mais s'il connaît sa force, s'il a confiance en elle, il recherche ce passage comme un bien précieux, le seul bien précieux. Chacun intériorise ce processus pour le favoriser en lui-même. Votre masculin honore-t-il votre féminin et permet-il à votre féminin de l'inspirer ?

Le couple évolue et grandit à l'intérieur de ce jeu des polarités. Chaque partenaire a la possibilité d'avancer vers l'unification de son couple intérieur par cette compréhension intime des polarités masculine et féminine. La communion sexuelle offre par effluves magiques une entrée. Chacun est ainsi l'initiateur de l'autre ou l'un des deux, porteur de l'unité intérieure, apporte la conscience de l'éveil dans la rencontre et prend le pôle d'initiateur face à l'autre.

Cette attitude d'esprit s'intègre progressivement, trouve sa légitimité, sa permission. Plus un être humain prend conscience qu'il est à la fois une personne particulière, unique dans ses caractéristiques, et en même temps une personne vaste, au-delà de toutes les formes, plus il apprend à naviguer entre le personnel et l'impersonnel. La rencontre de couple transporte à la fois cette attirance, ce désir très personnel, cet amour pour une personne qui ne ressemble à aucune autre, et cette opportunité de s'agrandir à une sensation qui dissout les particularités. Chacun devient un canal pour l'autre, chacun devient un dieu ou une déesse. Chacun languit de la plénitude de l'autre, chacun languit du divin et, en acceptant de le chercher chez l'autre, de le poser par essence chez l'autre, chacun se donne une chance de le trouver.

« Qu'à travers toi le divin me fasse l'amour », telle est la devise de l'amour adorant.

Une civilisation extatique

Pour que les hommes et les femmes d'aujourd'hui évoluent vers une réconciliation avec eux-mêmes et avec l'autre sexe, pour que la civilisation change de cap, nous avons besoin d'une spiritualité sans hiérarchie, d'un cercle de consciences communicantes, d'une spiritualité venue du corps, et particulièrement du corps de la femme. Les femmes ont à se mettre à l'écoute et à transmettre un message d'amour de la vie. **Une spiritualité de l'incarnation est encore à naître.**

Où sont les femmes sages ? Un corps de femme est une urne de vie, un temple de sagesse. Le féminin de l'existence passe d'abord par ce corps et devient source lorsque la conscience descend toujours plus profondément dans les cellules.

Depuis plusieurs millénaires, les femmes ne sont plus des intermédiaires entre le ciel et la terre, entre la terre et le ciel. Les prêtresses se sont englouties et les chevaliers du Graal cherchent en vain la coupe de l'amour. Le tranchant des épées du masculin s'agite dans toutes les directions de manière sanglante et le sens s'éloigne de plus en plus. Le ventre des femmes continue de s'arrondir pour perpétuer la vie toujours menacée, violée, effacée. Reproductrice et servante, la femme ne sait pas sortir de cet esclavage autrement qu'en rivalisant avec l'homme sur le terrain du faire.

Où sont les femmes sages, les sages-femmes, celles qui sont capables de s'accoucher les unes les autres physiquement et spirituellement ?

Collectivement et individuellement une émergence se dessine. Une femme-soleil surgit, une femme-soleil pour elle-même, avant d'être soleil pour l'homme, pour les siens ou pour le monde. Une femme centrée. Timide encore et incertaine, pas toujours droite et souvent penchée vers l'autre. Décentrée puis centrée. Fière et douce, forte et douce. Ancrée dans les énergies puissantes et telluriques de la Déesse-Mère, affinée dans sa taille, élancée dans son cou et son front haut. C'est un espoir pour la planète, c'est un espoir pour la conscience que ce surgissement.

Pour retrouver sa grande dimension, la femme a besoin d'entrer dans l'acceptation cellulaire de son incarnation, de sa royauté de porteuse de vie, de découvrir sa vertu de magicienne de l'amour, de ne jamais renoncer à sa liberté. Au-delà de tous les mots, elle incarne un feu et une lumière, une puissance et une conscience qu'elle ne fait souvent qu'entrevoir par éclairs au cours d'une vie défigurée. Une femme vivante, terriblement vivante.

La spiritualité qui vient ne peut plus se passer de ce message, de cette présence fondamentale du féminin chez la femme comme chez l'homme. C'est une grande évolution, révolution dont nous n'apercevons que les prémices. Il y a si longtemps que le message du féminin est coupé du corps des femmes et de celui des hommes. Depuis plus de quatre mille ans, les femmes interdites de prêtrise vivent leur corps dans la honte et demandent aux hommes le chemin de leur rédemption. Depuis plus de quatre mille ans, les hommes rencontrent le visage défiguré, soumis ou révolté que leur domination a contribué à créer. Ces mêmes hommes ne connaîtront pas l'évolution harmonieuse vers leur féminin intérieur et resteront durcis dans un masculin desséché. Seuls les poètes, les inspirés ont élevé des voix isolées pour prôner la résurgence du féminin parce qu'ils en vivaient la nécessité. Pour ceux qui « pensent », la femme et le féminin sont accessoires même s'ils proclament bien haut le contraire. Pour ceux qui « sentent » la femme et le féminin sont essentiels.

Des milliers de femmes aujourd'hui font une tentative pour retrouver les forces profondes de la Déesse-mère des origines et les élancements de la dame à la Licorne. Le système énergétique féminin tient ses promesses. Il est fluide, facilement ouvert, facilement en expansion, sauf pour les femmes qui ont développé un mental très fort par les études ou la culture. Les femmes ont besoin de travailler entre elles à leur floraison intérieure. Un homme, aussi développé soit-il, aussi bien intentionné soit-il, n'a pas vraiment la possibilité d'aider une femme à retrouver sa grande dimension. Il ne peut que l'aider partiellement. Le chemin de la sagesse passe par la compréhension de l'incarnation, pour les hommes comme pour les femmes.

Il y a beaucoup de choses qu'un homme est capable de faire pour une femme et d'abord la révéler à elle-même en tant que femme, en tant que mère, lui donner une image de son animus, lui communiquer sa capacité d'élévation ou sa stabilité terrestre, coopérer à une œuvre. Inversement, la femme va révéler l'homme à lui-même, en tant qu'homme puis en tant que père, le rapprocher de son anima, lui communiquer sa capacité d'allègement et son ancrage terrestre, coopérer à une œuvre.

Mais on ne traverse pas une identité sans d'abord la connaître, l'approfondir et l'accepter. L'identité féminine et l'identité masculine sont bien distinctes dans leur héritage collectif et dans leur spécificité individuelle. Le scénario parental, la relation dominant-dominé, le fusionnel à la mère, tout est différent.

La plupart des femmes qui s'intéressent à leur évolution — et il y en a de plus en plus — ont tendance à chercher un homme comme enseignant parce que la croyance collective « Une femme ne vaut pas un homme » est inscrite profondément dans l'inconscient. Mais les choses évoluent vite. De plus en plus de femmes souhaitent travailler maintenant sous la conduite d'une femme.

Lorsque les hommes évoluent vers plus de féminin dans leur identité, ils peuvent se trouver submergés et rencontrer des pièges qui ne leur permettent pas de vivre une alliance harmonieuse du masculin et du féminin à l'intérieur comme à l'extérieur. Pour résumer, trop de féminin en périphérie et pas assez au centre, paradoxalement pas assez d'anima positive. Pour vivre une spiritualité dans le monde profane et l'incarner, nous avons besoin de traverser nos identités d'hommes et de femmes, donc paradoxalement de les renforcer dans un cercle de consciences appartenant au même sexe. Les initiations tribales avaient semble-t-il la même perception mais aujourd'hui nous devons réinventer nos rites de passage.

Une spiritualité androgyne

Notre époque est passionnante à ce niveau-là. Les identités homme-femme sont en pleine évolution sur le plan collectif. Ce qui n'était vécu que par un petit nombre est en train de devenir un phénomène social. Les hommes se féminisent et les femmes se masculinisent. C'est une évolution qui peut paraître déséquilibrante mais qui va pourtant dans le sens de l'androgynat intérieur. De manière consciente les hommes ont à faire un parcours vers leur anima positive et les femmes vers leur animus positif. Toute l'éclosion de la créativité individuelle est liée à ce cheminement féminin-masculin, masculin-féminin. Quel est ce mariage intérieur, quels sont ces noces alchimiques dont parlent la plupart des traditions ?

Elles se situent sur deux plans complémentaires : psychologique et énergétique. Chacun de nous a besoin de se familiariser avec la notion d'homme intérieur et de femme intérieure pour se rapprocher de lui-même. D'autre part, tout se passe comme si le trajet du feu vers la lumière, de la vitalité à l'extase, se joue par l'union de l'actif et du réceptif en nous et la naissance d'**un troisième terme** qui serait de l'ordre de la grâce. Et sans doute les deux plans se renforcent-ils l'un l'autre pour la transformation d'un être. L'être en nous est androgyne, **accessible par une réalisation progressive et en même temps toujours déjà là.**

Mon corps est sexué, mon psychisme est bisexué. L'affirmation de soi, l'ego, dans ce qu'il a de positif, est une créativité qui conjugue masculin et féminin. L'amour et la lumière sont de l'ordre du troisième terme, de l'androgyne ou de l'ange.

« Qui veut faire l'ange, fait la bête. » Ce dicton populaire met en garde contre le fait de vouloir passer de l'incarnation à la désincarnation. L'acquisition patiente du masculin/féminin unifié en soi permet d'accéder du plan plus animal au plan de l'ange ou de l'être, ce que Jung appelle aussi le soi.

Nous cherchons une spiritualité qui monte et qui descend, qui entre et qui sort.

Les religions du Dieu-Père ont pour caractéristique de vouloir sortir de l'existence pour retourner vers la conscience, sortir des limites du corps, retourner vers une essence pure. La religion de la Déesse-Mère, pour autant qu'il nous en reste des traces à travers le tantrisme, montre une voie de présence dans le corps par l'attention accordée aux sens et aux éléments. La conscience va vers l'existence.

Nous avons besoin de cesser d'opposer ces deux voies comme nous avons besoin que cesse la dominance du père ou la dominance de la mère. **De l'existence vers la conscience et de la conscience vers l'existence**, une spiritualité qui honore la vie épouse son mouvement perpétuel. L'alternance de la nuit et du jour est là pour nous rappeler cette nécessité. Il n'y a plus la dualité du bien et du mal, il y a une succession d'expériences toujours à transformer, toujours à muter, aller vers le meilleur de soi et du monde.

Au-delà de toutes les croyances, un **art de l'être** est en train de naître qui s'appuie non sur des mots mais sur des sensations et des expériences. Il n'y a pas de ligne de conduite mais seulement des conducteurs qui apprennent à faire face à toutes les situations à partir de leur noyau inaltérable tout en laissant le jeu de la périphérie faire des vagues de tristesse, de déception, de joie, de ravissement. Il n'y a pas de recette mais un apprentissage par l'exercice de l'art de muter le lourd en léger.

Le chemin commence à être bien dégagé par les chercheurs/expérimentateurs/questionneurs contemporains mais il n'a pas encore trouvé son cartographe universel.

Dès lors, il ne s'agit plus de se couper du monde pour vivre le sacré mais de permettre l'invasion du sacré dans l'existence quotidienne et l'évasion du quotidien dans le sacré. Grande conscience et petite conscience s'interpénètrent.

La rencontre du sacré et du profane est sans doute la grande affaire des décennies à venir. Tout est voie, la progression n'est pas nécessairement verticale, le sexe n'est pas nécessairement reconduit au cœur et à la tête.

L'intensité de présence se révèle aussi intensité de conscience. Je peux me concentrer sur un son, une odeur de telle manière qu'elle crée en moi une expansion de conscience. Cette horizontale fait naître la verticale d'une élévation et au croisement de cette verticale et de cette horizontale se trouve un point d'extase. Remarquons qu'en suivant la morphologie du corps humain, la croix se dessine quand les bras sont ouverts, et le cœur est alors le lieu privilégié de l'extase. La voie de l'amour est sans doute la plus naturelle et sera sans doute la plus populaire.

Dans une époque qui cherche une authenticité spirituelle, on sent bien que l'amour est une valeur en hausse comme l'intimité. L'amour semble être la valeur refuge du sacré collectif. Saurons-nous créer une civilisation plus ouverte qui réconciliera Éros et Agapè ? Saurons-nous redonner à la sexualité toute sa liberté, son innocence pour que les fleurs du désir croissent en abondance ? Saurons-nous cultiver l'art d'aimer dans la subtilité et l'intériorité ? Saurons-nous donner du temps à l'Éros et mettre le faire au service de l'aide, du partage, du bien-être ?

La spiritualité correspond aujourd'hui à un changement de coordonnées sur le plan mondial. Allons-nous nous permettre de passer des valeurs de la survie avec son cortège de peurs et d'agressions à des valeurs ludiques et aimantes, celles du Je dans le Jeu ? Allons-nous quitter la souffrance et la crucifixion pour entrer dans le plaisir d'exister ?

Êtes-vous de ceux qui se donnent à la vie dans l'érotisation de chaque instant ? Alors, la sagesse et l'énergie conjuguent en vous leur sillon.

Le corps ocellé d'Eros peut ouvrir pour chacun de nous
ses yeux d'éveil.

Paule Salomon a créé un Centre d'Éveil dans le Midi de la France. Elle anime toute l'année différents stages.

Le stage du « Créateur » est destiné à apporter une connaissance de soi, une joie de vivre, une capacité à dédramatiser, un développement du pouvoir créateur et de l'imagination.

Le stage « Relation de couple » permet de comprendre et de dépasser les écueils d'une relation, par la prise de conscience du couple intérieur en chacun.

Le stage « Femme solaire », réservé aux femmes, est une expérience profonde pour dépasser la blessure culturelle transmise de mère en fille, pour développer l'homme intérieur et le rayonnement de l'être dans l'axe sexe-cœur-tête.

Pour tous renseignements sur les dates, écrire avec un timbre pour la réponse au Centre d'Éveil : B.P. 6, 06530 Cabris.

TABLE

DU MÊME AUTEUR

L'Enfant-Soleil, roman, Pierre Belfond.

Le Manuel de la vie naturelle, Pierre Belfond (en collaboration avec Claude Barreau), 1985.

Le Livre des Possibilités, Robert Laffont (en collaboration avec André Bercoff et Nicolas Devil).

    Tome I : *Tout.*

    Tome II : *Un = Nu.*

    Tome III : *Nous.*

Les Aventuriers de l'esprit, Albin Michel, 1979.

La Parapsychologie et vous, Albin Michel, 1980.

Corps vivant, Albin Michel, 1983.

La Magie de la perle noire, Times Editions, 1987.

La Femme solaire, Albin Michel, 1991.

La Sainte Folie du couple, Albin Michel, 1994.

*La composition de cet ouvrage
a été réalisée par Nord Compo,
l'impression et le brochage ont été effectués
sur presse Cameron dans les ateliers de
Bussière Camedan Imprimeries
à Saint-Amand-Montrond (Cher),
pour le compte des Éditions Albin Michel.*

Achevé d'imprimer en avril 1997.
N° d'édition : 16304. N° d'impression : 4/356.
Dépôt légal : avril 1997.